Pa
Cubita
con Cari
ño Pérez
Prado

LOS
MOLINOS
Ensayo

¿Quién inventó el mambo que me sofoca?
¿Quién inventó el mambo
que a las mujeres las vuelve locas?
¿Quién inventó esa cosa loca?
¡Un chaparrito con cara de foca!

¡MAMBO, que rico e'e'e'!

YANIRA MARIMÓN

(MATANZAS, 1971)

Ha publicado los libros *La sombra infinita de los vencidos* (Aldabón, 2005, poesía); *Donde van a morir las mariposas* (Abril, 2006, novela, premios Calendario y La Rosa Blanca); *Contemplación versus acto* (Matanzas, 2009, poesía, premios José Jacinto Milanés y Nacional de la Crítica) y *Tocar las puertas del cielo* (Matanzas, novela, 2015). Su obra aparece recogida en numerosas antologías de Cuba y el extranjero.

Es miembro de la Unión Nacional de Escritores y Artistas de Cuba (Uneac) y editora de la revista artística y literaria *Matanzas*.

ULISES RODRÍGUEZ FEBLES
(CÁRDENAS, 1968)

Dramaturgo, guionista, investigador y narrador. Dirige la Casa de la Memoria Escénica (Miembro de la Red Latinoamericana de Archivos). Entre sus reconocimientos se encuentran el Premio de Dramaturgia Virgilio Piñera y Royal Court Theatre, 2004; la Nominación al Premio del Gremio de Escritores del Reino Unido, 2008, el Premio La Edad de Oro, 2012 y el Premio de novela Cirilo Villaverde, de la Uneac en 2013. Sus textos han sido llevados a escena en Cuba, México, Estados Unidos e Inglaterra. Es miembro de la Unima, Asitejj, Uneac y Asociación de Pedagogos de Cuba.

¡ Mambo,
qué rico e'e'e'!

EDICIONES MATANZAS

Edición: *Norge Céspedes*
Perfil de colección, infografía y diseño: *Johann E. Trujillo*
En cubierta caricatura de *José Luis Posada,* 1979
Emplane: *Leonel Betancourt Álvarez*

ISBN 978-959-268-356-3

Ediciones Matanzas
Casa de las Letras Digdora Alonso
Calle Sta Teresa N° 27
e/Contreras y Manzano. Matanzas

e-mail: edicionesmatanzas@atenas.cult.cu
    www.cubaliteraria.com

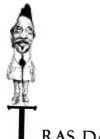

Tras Dámaso Pérez Prado

E stamos Yanira Marimón y quien le escribe buscando cuál de las fechas es la exacta para dictaminar el nacimiento de Dámaso Pérez Prado. Varios investigadores dan fechas contradictorias, la mayoría, como Helio Orovio, tienen la certeza de que fue en el 1916. Y así aparece registrado en numerosos documentos, entrevistas, estudios, recortes de prensa y publicaciones digitales.

Algunos, como Radamés Giro en su Diccionario de la Música Cubana, la ubican en 1917.

Solicitamos el acta de nacimiento en el Registro Civil de Matanzas, pero el mambo está difícil, intrincado, como se dice a veces en Cuba, como el mismo Pérez Prado contesta a Erena Hernández en la entrevista que le hizo: "Se usaba cuando la gente quería decir cómo estaba la situación: si el mambo estaba duro era que la cosa iba mal…"

Casi infiltrados pedimos la necesaria ayuda, para celebrar el aniversario del genio de la música, polémico y controvertido, porque, ¿es en el 2016 o 2017?; pero nos costó sudar, sin bailar, recibir respuestas inesperadas, presenciar escenas dramáticas, mientras Yanetsis, cimbreante, camina de un lugar a otro, en los oscuros pasillos, donde duerme el pasado de muchos, incluidas figuras importantes como Pérez Prado o anónimos, como cualquiera de nosotros.

¿Y Pérez Prado? ¿Dónde está Pérez Prado? Pasa una hoja, un libraco y vuelve mañana, ¿puedes? Estamos apurados, tenemos que entregar el libro, dice Yanira. Para nosotros es esencial encontrar la fecha exacta de su nacimiento. ¿Pasado mañana? ¿Puedes? Dice Yanetsis. ¿El creador del mambo? ¿Qué es el mambo? ¿Cuál es su

origen? ¿Cuáles son sus particularidades? ¿Quién lo inventó por fin? ¿Cuáles son los aportes de Pérez Prado? ¿Qué aporta el mambo a la historia de la música cubana? ¿Qué nos dice el mismo Pérez Prado en conversación con Erena Hernández sobre el tema? ¿Y Alejo Carpentier? ¿Y Gabriel García Márquez? ¿Y Leonardo Acosta? ¿Y Radamés Giro? ¿Y Gustavo Pérez Firmat? ¿Cuáles son los filmes donde se encuentra la música de Pérez Prado, según el texto del investigador Erik Estrada? Cada uno de los estudiosos nos ofrecen en este libro, análisis rigurosos, documentados.

Los textos están sobre nuestras mesas, desperdigados mientras seleccionamos.

Este es un libro homenaje, un libro amor, de colaboración entre muchos. Los que lo idearon, los que lo asumieron, los que hicieron su aporte, como el Registro Civil de Matanzas, los que transcribieron, cotejaron, editaron, los que propiciaron, entre cartas o mensajes escurridizos por el alucinante ciberespacio, muchos de estos trabajos, nos dieron sus permisos desde España, México o La Habana. ¿Conoces este texto? Nos dicen, nos sugieren algunos. Y lo ponemos en nuestra mesa, leyendo y seleccionando, para después organizar, concebir diferentes perspectivas eruditas de un creador y de un ritmo, con las diversas polémicas que ha desatado. ¿Qué desechamos? ¿Cómo hacemos que el cuerpo del libro viva, palpitante, entregando una pluralidad de ideas que desconcierta?

Hermoso libro para ir aprendiendo, desde la polémica, sobre el mambo y sobre Pérez Prado, más de lo que sabíamos, de lo que imaginábamos.

Un libro que concentre algunos de los textos más interesantes, por inquietantes, sobre el mambo y Pérez Prado. Esos que no pueden faltar, para rendirle homenaje al músico cubano en su centenario.

Escucho Mambo No. 5, Mambo No. 6 y revisamos las imágenes del genio, documentales, en videos de sus presentaciones, en filmes o en las revistas La Gaceta, Clave Cubana, Revolución y Cultura, Cinegarage.

Queremos, mientras trabajamos, mientras Derbys Domínguez y María Isabel Tamayo nos ayudan, que el espíritu del músico nos habite, estremecedor, telúrico; que el libro sea como un tejido de ideas especializadas, que fluyan y a la vez sean contrapuestas, que ilumine y nos permita avanzar.

Un personaje, una historia, van naciendo mientras armamos el libro, despertando la sensibilidad creativa.

Inesperadamente veo al Pérez Prado, personaje dramático. Me apasiono con su existencia, con su manera de hablar, de vivir, de crear. Un genio que me mira desde un dibujo al estilo del gallego José Posada, con su bigote, su sombrero, su sonrisa, sus pantalones, su manera de moverse. Un niño que nació en Matanzas y nadie imaginó, quizás, que iba a convertirse en el hombre que haría bailar a medio mundo, que su música afiebrada, contagiosa, iba a estar en la banda sonora de innumerables películas especialmente de México, el país que lo acogió y lo hizo suyo.

¿Fuiste por fin al Registro Civil? Otra vez, le respondo a Yanira. Otra vez indagando, pero todavía nada. ¿Por qué no vamos a la iglesia de Pueblo Nuevo?, me dice ella, ¿o yo?

Allí nos reciben amables, nos abren los libros excelentemente conservados, buscan a Dámaso Pérez Prado, mientras el Papa Francisco, nos observa desde diversas partes de la parroquia, unos días antes de visitar a Cuba.

Hay demasiados Pérez, pero ninguno es Dámaso. Y el Dámaso, no es Pérez y menos Prado. Tampoco hay ninguno de su familia. ¿Y Pantaleón, su hermano?, insiste Yanira. Adiós, decimos cuando comprobamos la inexistencia del documento y que Dios los acompañe, nos acompañe en esta búsqueda. ¿Cómo organizamos el libro, Yanira? "El exilio musical de Pérez Prado", texto de Rosendo Ruiz, nos lleva a su salida de Cuba. ¿Y por qué salió? ¿Cómo llegó a México? ¿Cómo llegó a Nueva York? ¿Hasta dónde los criterios son diferentes y se unen?

Hay muchos aspectos que me gustan, las diferentes perspectivas del fenómeno mambo y del fenómeno Pérez Prado, los agudos análisis musicológicos de cada uno de los autores, la diversidad de épocas en las que fueron escritos. ¿Por qué seguir una cronología? ¿Por qué seguir la voz de los autores en el tiempo y la significación de los autores? ¿Por qué no seguir esos criterios que iluminan y hasta se contradicen, esos fragmentos que se arman, para perderse en otros? Me gusta que lean sobre Pérez Prado, buscando, aprendiendo. Así organizamos el cuerpo del libro.

Pasamos por la Catedral de Matanzas en reparación, donde hace una semana le habían dicho a Yanira que no se podía buscar, porque había demasiado polvo y desorden. ¿Y pasamos por el Registro Civil? Hay demasiada gente fuera, protestando, porque hace una semana, un mes, buscan actas de casamiento o de nacimiento. ¡Qué mambo, más complicado es! E´e´e´. Un mensaje de Johanm E. Trujillo llega a mi celular. Tengo el diseño, escribe. Fenomenal, decimos. Estamos ansiosos por verlo, le decimos.

¡Qué rico el mambo!, de Gustavo Pérez Firmat! Un acucioso estudio, que nos iluminará desde el rigor. Agradecemos con un mensaje el *habernos permitido publicar un artículo, que queremos para cerrar, para rematar el baile, mientras Pérez Prado, sube al escenario y nos sumerge en la música de su orquesta. Lo vemos, lo sentimos, nos contagiamos, mientras musicólogos, investigadores opinan, discute sobre lo que sucede, sobre lo creado, pero Él cada vez se hace más libre, adueñándose de su música, contagiándonos.*

Y se mezcla el auténtico Pérez Prado, con el personaje que va naciendo en mi cabeza, con el que nace del libro, originado de fragmentos de voces dispersas.

Buscamos la fecha de nacimiento de Dámaso Pérez Prado, el creador del mambo, le decimos a un señor y a una señora.

La que atiende el registro no está, dice, pero luego, pregunta: ¿De Pérez Prado? ¿El creador del mambo? Y entusiasmado, ¿usted lo oye? ¿Usted lo disfruta? ¿Usted se siente orgulloso? ¿Usted baila mambo? entra a buscar en los libros de la parroquia, inmensos, casi más grandes que él.

Le decimos las posibles fechas y presto, sin mucha demora, ágil, eficiente, (¿y el Registro Civil?) el señor que después sabemos se llama Sergio, nos entrega ante nuestros ojos, para tocarlo, con nuestras manos el acta bautismal y la fecha de nacimiento de Dámaso Pablo de Jesús Pérez y Prado, el 11 de diciembre... ¿En el 1916 o en el 1917?, nos preguntamos Yanira y yo, buscando con precisión, mientras el Papa Francisco vuelve a mirarnos desde una foto en la puerta, con su mensaje de misericordia.

En el 17, aclara el documento. Y saltamos de alegría y fotografiamos el libro, hermoso, con ese olor de libro viejo pero cuidado, eternizando las letras que dejaron constancia legal del niñito Pérez Prado, mientras Yanira y yo procuramos, junto a Sergio, imágenes del hallazgo. Fotos de los dos y el libro, de Yanira y Sergio. De Ulises y Sergio, de los tres con el libro abierto. Y pasamos un mensaje a Alfredo Zaldívar, director de Ediciones Matanzas, y a Norge Céspedes, el editor: lo encontramos. El centenario no es en el 2016, sino en el 2017, como aclara Radamés Giro.

¿Y el Registro Civil? ¿Pasamos? ¿Confrontamos? ¿Cómo no vamos a hacerlo? Y vamos, cruzamos la larga cola de seres, que sudan y esperan... Por fin Yanetsis nos entrega tomo, folio, y nos remite al archivo de duplicados donde nos atiende Solángel Caballero Pérez, su directora. Hace demasiado calor. Los libros crecen, casi hasta el techo, en sus anaqueles. Diligente, amable, escuchando Radio Enciclopedia, busca y encuentra la fecha definitiva, cotejada con el acta bautismal.

Dámaso Pérez Prado disfruta la escena de la comprobación de la fecha de su nacimiento.

Está allí, entre la gente que se ha detenido, ante las puertas, cuando la música irrumpe, cuando el escenario se ilumina e irrumpe con su pantalón ancho y lanza su grito universal: Mambo: qué rico é, é, é, ese por el que todo el mundo lo conoce. Pérez Prado va al piano, toca, virtuoso. Veo sus manos que bailan sobre las teclas, inatrapables. Y todos bailan entre los estantes, olvidando la solicitud de documentos, sus interrogantes.

Ese es el espíritu del libro, que logremos ver a Dámaso Pérez Prado (1917-1989) desde la sabiduría de los otros, pero también con nuestros propios ojos.

ULISES RODRÍGUEZ FEBLES
Matanzas, septiembre de 2015

EL MAMBO

Gabriel García Márquez

Cuando el serio y bien vestido compositor cubano Dámaso Pérez prado descubrió la manera de ensartar todos los ruidos urbanos en un hilo de saxofón, se dio un golpe de estado contra la soberanía de todos los ritmos conocidos. El maestro Pérez prado salió del anonimato de un día para otro, mientras el espectacular Daniel Santos le sacaba rebanadas de música a los personajes típicos de La Habana, y Miguelito Valdés se moría de decadencia tratando de cotizar su propia orquesta y Orlando Guerra, *Cascarita*, ladraba en los clubes nocturnos de Cuba sus extraordinarios sones montunos y agitaba el alucinante pañuelo rojo que le ha dado tanto prestigio como su voz.

De cinco años para acá, los traga-níqueles son los grandes molinos de la moda musical. Daniel Santos, después de tres o cuatro problemas con la inspección de la policía, se hizo presente en la maquinaria donde se fabrica la popularidad de los cantantes, y estuvo durante dos años gritando por cinco centavos en cualquier suburbio de América. Igual cosa sucedió con Orlando Guerra. Pero daba la impresión de que a la locura que ya sobraba en los dos anteriores, estuviera faltando todavía un poco de locura para llegar a la locura total. Entonces Dámaso Pérez Prado recogió doce músicos, hizo una orquesta, y empezó a desalojar a culatazos de saxofones a todos los que le habían antecedido en el bullicioso mundo de los traga-níqueles.

Los académicos se están echando cenizas en la cabeza y desgarrándose las vestiduras. Pero la vulgaridad sigue siendo el mejor termómetro. Y tengo la impresión de que habrá más de dos académicos bajo tierra, antes de que el muchachito de la esquina se disponga a aceptar que el *Mambo No. 5* es llanamente un batiburrillo de acordes bárbaros, arbitrariamente hilvanados. El muchachito de la esquina es precisamente quien me ha dicho esta mañana: "No hay nada como el mambo". Y lo ha dicho con una convicción, con una sinceridad, que no cabe la menor duda de que el maestro Pérez Prado ha descubierto la tecla definitiva en el corazón de todos los muchachitos que silban en todas las esquinas del mundo.

Posiblemente el mambo sea un disparate. Pero todo el que sacrifica cinco centavos en la ranura de un traga-níquel es, de hecho, lo suficientemente disparatado como para esperar que se le diga algo que se parezca a su deseo. Y posiblemente, también, el mambo sea un disparate bailable. Y entonces, tenía que suceder lo que realmente está sucediendo: que la América está que se desgañita de sana admiración, mientras el maestro Pérez Prado mezcla rebanadas de trompetas, picadillos de saxofones, salsa de tambores y trocitos de piano bien condimentado, para distribuir por el continente esa milagrosa ensalada de alucinantes disparates.

Al muchachito de la esquina le he dicho: "Claro, si el maestro Pérez Prado es un genio". Y se ha puesto más alegre que si se le hubiera obsequiado con una moneda. Después de eso, nadie podría sentir el más vago remordimiento de conciencia, aunque quede en el vecindario alguien capaz de contenerlo a uno de que, a su turno, ha dicho su personal y desde luego muy discutible disparate. Eso es tan natural, tan humano, que hasta puede ser el mejor motivo para un mambo.

Tomado de Gabriel García Márquez: *La soledad de América Latina*, Arte y Literatura, La Habana, 1990.

Este artículo apareció originalmente en *El Heraldo*, Barranquilla, 12 de enero de 1951.

¿QUIÉN INVENTÓ EL MAMBO?

Leonardo Acosta

Todos recordamos, con más o menos nitidez, una pieza que se puso de moda alrededor de 1950 y que cantaba el entonces poco menos que desconocido cantante Benny Moré. En la voz, ahora inconfundible, de Benny distinguíamos un texto que decía: "¿Quién inventó el mambo que me provoca? / ¿Quién inventó el mambo / que a las mujeres las vuelve locas?". Era un disco grabado en México por la poderosa compañía disquera yanqui RCA Victor. Los brillantes trompetistas mexicanos que tocaban con la orquesta de Dámaso Pérez Prado (Chilo Morán, José Solís, Guadalupe Montes, entre otros) hacían subir vertiginosamente los decibeles, cuando se volvía a escuchar la voz de Benny que, destacándose entre los figurados de los metales decía: "¿Quién inventó esa cosa loca?/ ¿Quién inventó esa cosa loca?/ ¡Un chaparrito con cara de foca!". En la popular composición a que nos referimos *¿Quién inventó el mambo?*, su autor dejaba sentado que él, Dámaso Pérez Prado había inventado el nuevo ritmo, que causó furor en México y luego en el mundo entero. Sin embargo, la historia de cualquier forma de arte demuestra que ningún creador, por genial y experimental que sea, ha creado a partir de la nada; siempre han existido antecedentes e influencias más o menos directos. La única creación ex nihilo que conocemos es la que aparece en la *Biblia*, y nunca han comparecido los testigos fidedignos que la prueben ante comisión alguna. En cuanto al mambo Pérez Prado nunca ofreció indicios sobre los antecedentes de su invento, salvo en ocasiones en que le dio por decir que "Él era solamente el rey del Mambo" dejando en la incógnita el problema de su "invención".

Alrededor de 1960, Odilio Urfé publicaba un artículo en el que hacía una clasificación de los géneros o modalidades en la música popular cubana, y agrupaba en un acápite los siguientes géneros instrumentales: danza, contradanza, danzón, danzonete, mambo y chachachá. El árbol genealógico estaba nítidamente trazado, y respecto a su último eslabón, el chachachá, no cabía la menor duda respecto a la exactitud de su ubicación. Su creador Enrique Jorrín se mantuvo durante años tocando y componiendo danzones, y su "nuevo ritmo" era interpretado en el contexto de la orquesta danzonera típica, extensión de la tradicional charanga francesa a base de violines, flauta, piano y percusión. Pero, ¿y el mambo? Aparentemente era otra cosa, sin filiación definida.[1]

Años más tarde, el propio Urfé se refirió en una conferencia, a la adición de una variante sonera como parte final del danzón introducido por la orquesta de Arcaño y sus Maravillas, en el año 1938, en una composición de Orestes López, el danzón titulado *Mambo*. En la propia charla, Urfé definiría el mambo de Pérez Prado como una "cosmopolitización [...] de esa variante". O sea, de la variante introducida en el danzón por Orestes López a partir del ritmo del son.

Por su parte, Antonio Arcaño, quien dio a conocer en 1938 *el danzón de nuevo ritmo*, recordó en 1974: "Ya antes del treintiocho el contrabajista, pianista y compositor Orestes López indicaba «mil veces mambo» cada vez que necesitaba repetir muchas veces un estribillo. Ya se decía «vamos a mambear». En 1938 compuso el danzón *Mambo*".[2]

La musicóloga María Teresa Linares, en su libro *La música y el pueblo*, dedica varios párrafos al tema del surgimiento del mambo y sus relaciones con el danzón, incluyendo el danzón de nuevo ritmo de Arcaño, así como el chachachá. Reproducimos lo esencial respecto al tema que nos ocupa:

> Orestes López nació en La Habana en 1908. Integró por más de veinte años la orquesta de Arcaño y sus maravillas, en la que ejecutaba indistintamente el bajo, el cello y

[1] Odilio Urfé: "Factores que integran la música cubana", *Islas*, II (1), Santa Clara, septiembre-diciembre de 1959.

[2] Rosa Ileana Boudet : "Arcaño y sus maravillas" [entrevista a Antonio], *Revolución y Cultura*, 25, La Habana, septiembre de 1978.

el piano. A él se debe el danzón *Mambo,* creado en 1938, que dio inicio a un nuevo estilo del danzón, así como muchos otros que fueron ejecutados por la misma orquesta. Posteriormente, el bajo sincopado del mencionado danzón [...] dio origen por una parte al género bailable llamado mambo, creado por Dámaso Pérez Prado, y por otra al cha-chachá, creado por Enrique Jorrín.

En el danzón de nuevo ritmo se incluía, en el tercer danzón o montuno, el ritmo sincopado de los treceros orientales que tocaban sones, usando también –como en el baile que se llamó mambo posteriormente– un cambio de planos instrumentales, usando la tumbadora para determinados acentos. A este nuevo montuno del danzón, donde su tema principal –de dos o cuatro compases– adquiría un carácter sincopado, se le dio el nombre genérico de mambo.[3]

Estas innovaciones ritmáticas que luego cristalizarían en el mambo de Pérez Prado, fueron previamente incorporadas a otras agrupaciones, y en parte modificadas. Un ejemplo sobresaliente es el del conjunto de Arsenio Rodríguez, el gran tresero y compositor, que fue además el primero en ampliar el formato de los tradicionales sextetos y septetos de son, para integrar los populares "conjuntos" con tres o cuatro trompetas, que proliferaron en los años cuarenta y cincuenta. Por su parte y dentro del formato del jazz band, la orquesta de Julio Cueva fue la primera en incorporar estos elementos del "ritmo" mambo. Entonces Julio Cueva contaba con las orquestaciones del pianista René Hernández , quien poco más tarde sería conocido en los medios musicales neoyorkinos, y con el original cantante Orlando Guerra (Cascarita), en cierta medida precursor del gran Benny Moré.[4] Como vemos, el mambo, al igual que cualquier otra modalidad o estilo musical (y artístico en general) no es el producto de la invención de un solo individuo, sino el resultado de un proceso dentro de la música cubana, en el cual intervinieron numerosos creadores e intérpretes, aunque haya algunos que en un momento dado actuaran como ejes de este proceso. Figura principalísima fue Orestes López,

[3] María Teresa Linares: *La música y el pueblo,* Pueblo y Educación, La Habana, 1974.
[4] Ver: Odilio Urfé «Danzón , mambo y chacahachá», *Revolución y Cultura,* 77, La Habana , enero de 1979.

luego prácticamente olvidado durante un tiempo, al que más tarde la Cuba revolucionaria ha rendido justo tributo. Conozcamos algo sobre Orestes López.

Nacido en La Habana el 28 de agosto de 1908, Orestes (también conocido como Macho) comenzó a estudiar música con sus padres. Ella tocaba piano y guitarra, y él, quien formó parte de la Orquesta Sinfónica creada por Gonzalo Roig y de la Orquesta Filarmónica de La Habana, tocaba contrabajo y trombón. Orestes López estudió contrabajo, violoncello y algo de violín, además de cursar estudios de piano con el maestro Fernando Carnicer. También se familiarizó con la flauta de cinco llaves. El hoy famoso danzonero nos refirió así sus inicios en la música sinfónica, en la que obtendría una vasta y fructífera experiencia:

A los dieciséis años mi padre, que tocaba entonces en la Orquesta Filarmónica, me llevó a practicar a dicha orquesta. Habló con el director, que era el músico español Pedro Sanjuán, y el maestro le dijo que sí [...] Eso fue por el veintitrés o veinticuatro [...] empecé a practicar con la filarmónica. Los conciertos eran los domingos por la mañana; los ensayos eran de martes a sábado. Como yo estaba solo practicando me despedí del maestro: "¡Hasta el martes, maestro!". Y me dijo "¿Cómo hasta el martes? ¡Si tú vas a tocar el concierto!". Y así me quedé mucho tiempo.[5]

Esa fue prácticamente la época dorada de la Orquesta Filarmónica, la época de los grandes estrenos. Ya se destacaba como primer violín Amadeo Roldán, quien luego sustituiría al maestro Sanjuán en la dirección, y que junto con Alejandro García Caturla revolucionaría la música sinfónica en Cuba, al incorporar los elementos rítmicos, melódicos y tímbricos de procedencia africana a nuestra música "culta".

Fue también la época única en nuestra historia, en que dos organizaciones de ese tipo, ambas netamente cubanas, se disputaban la primacía y ocasionaban debates hasta "reyertas" entre el público, los músicos y la prensa especializada. Como ha dicho Alejo Carpentier, entonces "se era filarmónico o se era sinfónico". Y hay que destacar que ambas orquestas estrenaron obras de autores cubanos donde lo "culto" y lo "popular" estaban inextricablemente unidos, demostrando así (como lo demuestra, por

---

[5] Leonardo Acosta: "¿Quién inventó el mambo?" [Entrevista a Orestes López], *Revolución y cultura* 42, La Habana, febrero de 1976.

otra parte, casi toda la historia de nuestra música), que ambos términos solo existen separados como *conceptos*, y muy rara vez como experiencia sonora.

Sería Orestes López, junto con Antonio Arcaño y los demás integrantes de su famosa orquesta de danzones, uno de los músicos cubanos que con mayor libertad integraría temas famosos de música sinfónica u operística a nuestra música popular bailable, específicamente al danzón. Durante los años treinta, dirigió tres orquestas dedicadas al género bailable: López Barroso, la Orquesta de Orestes López y la Orquesta Unión. A veces tocaba el bajo, a veces el piano, y ya con Arcaño y sus Maravillas incorporó el cello al formato de la charanga, adelantándose a su época, ya que hoy resulta imprescindible el cello en este tipo de orquesta. Como compositor de danzones, Orestes López adquirió popularidad con *Camina Juan Pescao, El que más goza, El truco de regatillo* (en homenaje al contrabajista Luis Regatillo), *Los jóvenes de la defensa, El moro eléctrico* y sobre todo, el famoso danzón *Mambo*.

Este danzón, según nos informó su propio autor, fue compuesto en 1937, y estrenado en 1938 en una presentación de la orquesta de Arcaño por la emisora radial Mil Diez, del Partido Socialista Popular (Comunista). Ahí estaba indiscutiblemente, el ritmo característico de mambo, que luego hiciera furor en México y se extendiera al mundo entero. Al preguntarle a Orestes López qué fue lo que cambió Pérez Prado, cuáles fueron los elementos nuevos que introdujo, nos respondió: "La instrumentación, sobre todo. Claro, le puso trompetas, saxofones, trombón, y la sonoridad era mucho mayor. Además eliminó otras partes del danzón tradicional".

Porque el mambo en su versión original era solo la última parte del danzón, cuya forma ha cambiado notablemente según la época, y gracias a la inventiva de Miguel Faílde, José Urfé y otros. El mambo, concebido por Orestes López como parte estructural de una pieza de baile, podía repetirse cuantas veces lo deseara el director de la orquesta, y en este sentido se asemeja a los estribillos y montunos tan frecuentes en la música bailable cubana, y que, originalmente de distinta procedencia y función coinciden en proporcionar mayor expansión a los bailadores, y dotar de un clímax –tanto musical como danzario– a la pieza ejecutada. La particularidad de este fragmento, por lo general de cuatro compases y multiplicable hasta el infinito, era su carácter instrumental, contrariamente a un estribillo, pongamos por caso. Y la práctica de incluir un pasaje de mambo en una pieza bailable se extendió a los conjuntos y jazzbands, de modo que un instrumentista de cualquier orquesta podía encontrar sobre el atril, en su parte del arreglo u orquestación, un pasaje que dijera "estribillo" o "montuno" y, desde 1938 en adelante otro que dijera "mambo". Este consistía en una figura sincopada, que en el jazzband estaba generalmente a cargo de saxofones.

Desde luego que mucho antes del surgimiento de Dámaso Pérez Prado, otras agrupaciones cubanas con el formato de jazzband habían incorporado a este tipo de agrupación los ritmos cubanos, al interpretar guarachas, boleros, sones y hasta danzones. Sin embargo, la concepción de Pérez Prado, a partir de las células básicas del mambo, es muy distinta a la de sus predecesores. Su orquesta *suena* diferente desde el principio. La sección o "cuerda" de saxofones utiliza dos altos, un tenor y un barítono (la formación usual emplea dos tenores); por el contrario, aumentan a cinco. Una y otras secciones tienen a su cargo largos pasajes al unísono y están en constante contrapunto. El único trombón de la orquesta, lejos de integrarse como otra voz armónica, es empleado en distintos efectos, como pedal o para subrayar cambios y subdivisiones de ritmo y *tempo*. Quedan así las trompetas y los saxos como dos tímbricos marcadamente diferenciados, uno muy agudo y otro grave, lo cual representa un acercamiento a lo tradicional africano.[6]

La sección rítmica empleada por Pérez Prado se caracteriza por la presencia, junto a los bongoes, de dos tumbadoras en vez de una –práctica luego extendida a otras orquestas y actualmente en desuso–, y por el importantísimo papel de las pailas o timbales, a los cuales se adicionaban algunos componentes de la batería (drums) de origen norteamericano, como platillos de aire. En este elemento se detecta fácilmente la deuda de Pérez Prado con Arcaño.

Y Orestes López, sobre todo en los "cierres" a cargo del timbalero, con efectos percutivos característicos, como el llamado "abanico". En la década de los sesenta, el "Rey del Mambo" reconoció su deuda con el viejo danzonero cubano, al grabar en

---

[6] Sobre esta cuestión véase: Argeliers León: "Consideraciones en torno a la presencia de rasgos africanos en la cultura popular americano", *Santiago*, Santiago de Cuba, marzo de 1974.

NuevaYork el danzón *Mambo*, según nos informó el propio Orestes López. Desde luego la procedencia del mambo se detecta con mucho mayor facilidad en los números más lentos de Pérez Prado (*José*, *La chula linda*, *Mambo in sax*) y menos en los rápidos, en la variante que su autor bautizó como mambo batiri (*¡Qué rico el mambo!*, *Caballo blanco*, *Mambo No. 8*), pero aun en estos se mantienen los efectos rítmicos básicos y el fraseo sincopado que caracterizaron al danzón de nuevo ritmo de los años treinta.

No se trata, por supuesto, de restar méritos a Dámaso Pérez Prado, cuyo nombre quedará como el de uno de los grandes innovadores dentro de la música popular cubana. Sin embargo, el estruendoso éxito del mambo a nivel mundial debió no poco a los medios publicitarios y al aparato difusor que lo respaldaron, con lo cual este "nuevo ritmo" se convirtió como luego el chachachá en un producto comercial de moda. Muy pronto proliferaron las malas imitaciones y las deformaciones del producto original, como ya había sucedido con la rumba en Estados Unidos y Europa en los años veinte y treinta, y el propio Pérez Prado tuvo que ir adaptando su música a los gustos del momento y a las exigencias de los consorcios disqueros, y logró obtener mayores éxitos económicos con los productos más comerciales y, por ende, menos legítimos musicalmente. Mientras tanto Orestes López, como tantos otros valores de la música popular cubana, se sumergía casi en el anonimato y el olvido, del que no resurgiría hasta años recientes, gracias al trabajo que se hace en nuestro país por el rescate de los verdaderos valores de la cultura nacional.

Tomado de Leonardo Acosta: *Del tambor al sintetizador*, Letras Cubanas, La Habana, 2014.

Publicado originalmente en *Revolución y Cultura*, No. 42, La Habana, febrero de 1976.

CONVERSANDO CON PÉREZ PRADO

Erena Hernández

La versión cubana de la forma de hablar de Cantinflas es Dámaso Pérez Prado. Sus palabras, que parecen explotar al mínimo contacto con el aire, resultan pintorescas cuando mezcla un "híjoles" con un "ahorita, pues" –típicas expresiones mexicanas– aspirando las eses y articulando apenas la mitad de los sonidos, a la manera criolla.

Por eso, recuperada de la campechana cortesía con que me recibió "por ser una periodista compatriota", no sabía si atender la buena marcha de la grabadora, escribir por si no grababa, u observar al creador del mambo para lograr entender lo que después no podrá aclarar al momento de trascribir.

Y porque vive tan aprisa como habla, la entrevista consistió en un meteórico interrogatorio seguido por las miradas de su guardaespaldas y de una joven sirvienta india. Mientras ella retiraba el servicio de la reciente comida, Dámaso insistía en posponer nuestro encuentro para otra ocasión en que dispusiera de más tiempo. Pero como dicen que la oportunidad la pintan calva, y su función nocturna en el teatro Blanquita siempre estaría de por medio, le acepté veinte minutos de charla, que se extendieron a casi una hora.

La noche anterior me había dicho en su camerino: "Mañana paso por usted a la una, señorita". Efectivamente, un taxi llegó puntual al hotel para conducirnos al apartamento de Avenida de Chapultepec y Circuito Interior, en el centro de Ciudad México. Sentada en un sofá atestado de cojines, tuve que esperar su llegada en animada conversación con un matrimonio que se encarga del audio en el teatro. Después de dos horas alternando la plática con la lectura de fotonovelas de su bien provista Colección Valle de Lágrimas, y de contarle los canelones a la araña del techo, hizo su entrada "el maestro" como todos le llaman, acompañado del "secretario" y una de sus bailarinas.

Venía vestido como al parecer suele hacerlo siempre: zapatos tipo plataforma para ganar unas pulgadas que rematan el alto y tieso bisoñé; pantalón color arena, de corte recto, y camisa de cuello chino azulgrisáceo; complementado por cadena, manilla y reloj de oro macizo.

Allí, en la propia mesa instalada en la terraza que mira desde el tercer piso hacia el castillo de Chapultepec, se sucedieron preguntas y respuestas matizadas con un fondo musical de mambos y ruidos de motores de autos.

—¿En qué año nació usted?

—Mejor te digo que nací en Matanzas, un 11 de diciembre de no sé qué año. Mi padre, Pablo Pérez, era periodista de *El Heraldo*... bueno, algo así, no sé bien..., creo que vendía acciones de periódicos. Mi madre, Sara Prado, era directora de la Escuela Primaria número 17 de El Naranjal. Por eso me llamo Pérez Prado. ¿No?

—¿En qué se ganaba la vida antes de dedicarse a la música?

—Bueno, primero vivía con mi familia. Después entré en la orquesta de Paulina Álvarez, hasta que formé una tipo charanga: tocaba danzón, ¿verdad? Eso estando ya en La Habana.

—¿En qué año se trasladó a La Habana?

—Como en el año 40 por ahí... Entré a trabajar en un cabaret llamado El Kursal, en los muelles.

—¿Cómo fue que empezó allí?

—Tocando el piano con la orquesta del cabaret.

—Cuéntame cómo fueron esos inicios.

—De ahí pasé a la Orquesta Casino de la Playa, y también hacía los arreglos que cantaba Cascarita. Después comencé con mis ideas, a tratar de crear una música completa... el ritmo mambo.

—¿A partir de cuándo fue conocido como profesional?

—En 1942, cuando empecé a hacerle los arreglos a Cascarita... Creo que él trabajaba en la CMQ, en la televisión. Me pagaba bien, y seguía en El Kursal.

—¿Usted ha estudiado música?

—Síiii. ¡Cómo no...!, con María Angulo, en Matanzas, en una academia... Soy clásico.

—¿*Qué estudios hizo con ella?*

—El piano clásico por el plan Falcón.

—¿*Llegó a graduarse?*

—Sí, terminé.

—*Además de sus estudios musicales, ¿qué otros estudios realizó?*

—Bueno, llegué a primer año de Medicina.

—¡*Mentira!*

—En la Universidad, sí.

—¿*Y qué tiene que ver la Medicina con la música?*

—Bueno, mi familia quería que yo estudiara eso, pero me dio por dedicarme a la música. ¿No?

—¿*Qué lo llevó a dedicarse por entero al arte?*

—Precisamente porque me gustaba más. Eso es todo.

—*Además del piano, ¿qué otros instrumentos conoce?*

—El órgano, un poco de saxofón, un poco de trompeta, la tumbadora y un poco de batería.

—¿*En qué año y por qué se fue de Cuba?*

—Bueno, Kiko Mendive, o Mendivo..., un cantante cubano al que le hacía los arreglos, venía a México y me dijo que mi porvenir estaba aquí, porque se hacían muchas películas y había trabajo abundante. Así fue como vine. Me presentó a Ninón Sevilla, que me brindó su casa: le hacía los arreglos de sus películas y visitaba los "cabareses", los lugares de baile, ¿verdad? ... Entonces vi que éste era un pueblo muy ritmático, y empecé a grabar con la RCA Victor y a practicar con la música del mambo, que era una música muy sincopada.

—¿*Hasta entonces no había hecho nada del mambo?*

—No, nada.

—¿*Qué es el mambo, por qué le puso ese nombre al ritmo que inventó?*

—Mambo es una palabra cubana. Se usaba cuando la gente quería decir cómo estaba la situación: si el mambo estaba duro era que la cosa iba mal... Me gustó la palabra... Musicalmente no quiere decir nada, para qué le voy a decir mentira. Es un nombre. Hasta ahí nomás.

—¿*Qué características tiene el ritmo?*

—Es sincopado: los saxofones llevan la síncopa en todos los motivos, depende de la estructura de la orquesta: si es saxofón o trompeta. La trompeta lleva la melodía y el bajo el acompañamiento, combinado con bongoes y tumbas... de esa combinación de música y ritmo sale el mambo.

—¿*No recuerda ningún hecho anecdótico referente a cómo le surgió la idea?*

—No. Fue muy natural. Hacía tiempo que tenía ese sentimiento dándome vueltas en la cabeza. No necesité nada especial.

—¿*Desde cuándo?*

—¡Uhhh!, hace tiempo... posiblemente desde Cuba; pero como no me dieron la oportunidad vine a practicarlo a México. Quería hacer un ritmo latino sin necesidad de que tuviera nada de otro país, ¿verdad? Y así pasó.

—*Pero se trataba de un ritmo puramente latino, aunque con características nuevas...*

—Tenía toda la música escrita, no como hacían en Cuba, que escribían un pedacito y después había que ir a la A, luego a la X, a la B... No. Todo escrito: de arriba abajo.

—¿*En qué año hizo el primer mambo, qué nombre tenía y dónde lo grabó?*

—Llegué a México en octubre del 49. Ese mismo año grabé con la RCA Victor un disco que se llamaba *José Macamé*. Lo llevaron a Nueva York y dijeron que yo estaba muy adelantado en la música, que era muy progresista y debía hacer cosas más comerciales en el mismo estilo. Entonces grabé *Mambo No. 5* y *Mambo, qué rico mambo*... Esos fueron los que abrieron la brecha.

—¿*Era mambo* José y Macamé?

—Era mambo, pero muy lento, con una estructura muy clásica.

—¿*Cuáles siguieron después?*

—El *Mambo No. 8, La chula linda, El ruletero, Lupita*...

—¿*Cómo era su solvencia económica cuando estaba en Cuba? ¿Le pagaban bien?*

—Bueno, siempre he sido una persona ambiciosa. He tenido ambiciones monetarias, artísticas, personales...

—¿*Qué le interesaba más por entonces: ganar dinero o adquirir prestigio?*

—Más que nada prestigio, después viene todo. Cuando tienes personalidad eso te lo pagan, ¿verdad?... Es lógico.

—¿*Sentía que lo explotaban?*

—No. Simplemente sentía que si me quedaba en Cuba no tendría porvenir.

—*¿Por qué? ¿Cuál era el ambiente musical allá por esa época?*

—Mmmmm... era bueno. Yo tocaba en las mejores orquestas: en la Casino de la Playa...

—*¿Le pagaban bien?*

—Bueno, llegué a ganar cinco pesos, que en aquel tiempo era mucho dinero en Cuba. Me trataban bien. Además, recibía dos pesos por cada arreglo, ¡ja, ja, ja!... Sí, ¡lo digo en serio!

—*¿Por qué escogió entonces México como residencia permanente?*

—Por el idioma: sea con los modismos que sea también uno habla español... la lengua de Cervantes.

—*¿Usted es ciudadano Mexicano?*

—Sí, soy residente.

—*¿Hay alguna diferencia en eso?*

—No. Es lo mismo que ciudadano: tengo los mismos derechos.

—*¿Por qué se hizo ciudadano mexicano?*

—Bueno, para no estar pidiendo todos los días permiso para trabajar, por lógica y ya... Aquí situé mi casa. De aquí salía y salgo a todas partes del mundo. En Estados Unidos hasta me ofrecían hacerme residente americano, nacionalizarme, pero no quise.

—*¿Por qué, por el idioma?*

—Bueno, por el idioma y por mis ideas.

—*¿Sus ideas en qué sentido?*

—Porque el sistema de allá es diferente, hija... Allí te pueden invitar a una copa, pero nadie te ofrece una casa... Ellos tienen su mentalidad así, y yo soy distinto.

—*Usted tiene esa forma cálida del latino, afectuosa, de...*

—¡Síiii, pues! ¡En definitiva, todo es América!

—*Sin querer, aplica un concepto martiano, el de que la América es una, nuestra y...*

—Síiii, perfectamente. ¡Cómo no!

—*¿Usted siente que su música es orgullo de Cuba y, como cubano, se siente satisfecho de eso, o simplemente no piensa en esas cosas?*

—¡Ya lo creo! Como cubano me siento satisfecho de haber hecho algo bonito aquí, donde me quieren tanto, y que a la vez repercuta para mi país, lógicamente, porque soy cubano, y creo que los cubanos deben sentirse rebién de que otro cubano esté triunfando, porque al ser cubano, pues es Cuba.

—*¿Qué opinión tiene de la música que se hace allá actualmente?*

—He oído alguna y se nota el progreso, que hay estudios, escuelas: hay una juventud que viene avanzando, ¿verdad...? Y la encuentro moderna y muy bien hecha.

— *¿Cuál, por ejemplo?*

—Vi un grupo de conciertos... a veces lo pasan por el canal trece. No me acuerdo de los nombres. Y vi un trío o un cuarteto... cantan pero muy bonito... Disculpe que no le pueda dar nombre, pero no recuerdo.

— *¿No ha oído a los Irakere?*

—No. Ahorita pa qué le digo... No. Ando de aquí pa allá... No.

— *¿En qué otros países trabaja?*

—Si no en todo el mundo, en cierta parte de él: voy mucho a Japón, acabo de llegar de Filipinas... Estados Unidos, Centro y Suramérica...

— *¿No le cansa esa vida de viajero perenne?*

—¡Uy, no! ¡Qué va! Me encanta: siempre hay sensaciones nuevas para nuevas inspiraciones musicales... ¡Cómo no! Para una persona que escriba o que sea compositor es muy bueno variar el paisaje y el trato de las personas. Además, se aprende; viajar ayuda a conocer la vida, los valores humanos, y a hacerse uno más humano, "o séase" más considerado con sus semejantes.

— *Ya que no me pudo hablar de los músicos cubanos, dígame ¿qué opinión tiene de la "salsa".*

—La llamada "salsa" o música tropical es una farsa, porque no existe. Como "salsa", no; como música tropical, sí; porque su verdadero nombre es guaracha. Ahora, que le quiten el nombre de guaracha y le hayan puesto "salsa", pues... ¡allá quien se lo trague!, ¿no? Porque la "salsa" no existe: ni como música, ni como ritmo... nada. Para poder llamarse "salsa" debía tener un ritmo diferente: el que tiene es de guaracha y termina en ritmo de mambo, ¿no?

— *¿No cree que, en definitiva, se trata de la música cubana de los años cuarenta y cincuenta?*

—Sí. Exacto. Que sí es cubana. Y muy cubana... pero no se llama "salsa": se llama guaracha, como se puede llamar guaguancó. Eso sí, pero "salsa", no. No es original.

— *¿Qué impresión le ha causado el hecho de que una obra suya haya sido utilizada para homenajear en Cuba a una figura tan querida y respetada por los cubanos como es el Che Guevara?*

—*La suite de las Américas...* Bueno, la pregunta se la puedo contestar, pero de una manera... con mucho respeto y mucha sorpresa...

—*¿Cuándo se enteró de eso?*

—Yo lo sé desde hace dos o tres años... La tocaban en el cine Las Américas, como un plan serio, musical, en honor... como me explica usted ahorita...

—*Fue utilizada en un documental que...*

—¡Ah, bueno! Eso es otra cosa. No lo sé... pero bueno...

—*¿Cuándo lo compuso?*

—¡Uhhhh!, en Nueva York, creo que en los años 58 o 59.

—*¿Actualmente sigue haciendo mambos o experimenta en algo nuevo?*

—No. Hace como un año que no estoy grabando. No quiero plagiarme yo mismo. Cuando empiece en algo debe ser nuevo de verdad. Uno a veces puede repetirse inconscientemente, ¿verdad?

—*¿A qué atribuye el éxito del mambo y su popularidad actual?*

—Ah, eso es un misterio. Quizás por ser una música que tiene tanto ritmo y tanta riqueza en su armonización, ¿verdad?

—*Hábleme de usted ahora. ¿Qué hace, cómo vive?*

—Pues como ve, aquí vivo, en un departamento... condominio, como le llaman acá, y me siento muy bien por la situación que tiene mi casa –que es la suya. Me siento feliz.

—*¿Y la salud?*

—Tengo principios de... –se vuelve para preguntar al "secretario"–, anjá, de diabetes. ¡Ja, ja, ja! Dicen que me puedo curar. Pero me siento satisfecho de lo que he hecho y de lo que estoy haciendo.

—*¿En qué consiste?*

—Pues ahí me tiene, en el teatro: me encanta trabajar directamente con el público, porque me comunico con las personas, que se ve que me quieren, ¿verdad? Y si ellos se divierten, pues yo me divierto más. ¡Ja, ja, ja!... Y hago mi música, que es lo que más quiero.

—*¿Qué expresa en ella?*

—Ideas musicales, o ideas de ritmo. ¡Hay tantas cosas que se pueden expresar con la música! Melancolía, amor, alegría...

—*¿Y no logra crear nada nuevo?*

—Ahorita no. Estoy descansando mentalmente.

– ¿Hace arreglos a composiciones suyas o de otros músicos?

—Hice el *Preludio* de Rachmaninov y una sonata de Grieg... La invito para que vaya esta noche a oírlo. Llegue a las... –de nuevo se vuelve para preguntarle al "secretario": – ¿A qué hora empiezo, Campeón?

Y Campeón, que ha estado de pie casi todo el tiempo, dando vueltas por la pequeña sala, le responde desde su nueva posición, de codos en el piano que hay en el mismo centro:

—A las ocho y media, señor.

—Llegue a las ocho y quince –me dice Pérez Prado–. Se lo voy a dedicar.

– ¿Y qué idea le dio de ir hacia los clásicos?

—Bueno, para poder dominar todas las clases de público: que el de arriba se dé cuenta de que sí puedo hacer los clásicos en un sentido popular. Y al pueblo, si no los conoce, le es más fácil en la manera que yo se los doy que ir a un concierto.

– ¿Y cómo los arregla, en tiempo de mambo?

—Los puedo poner en rumba, como los puedo poner en tiempo de bolero... Depende de la melodía. Procuro que se sienta, no perjudicarla... lo demás viene siendo un acompañamiento.

– ¿Quiénes componen su orquesta y cómo se llama?

—Pérez Prado y su Orquesta es el nombre. La componen tres trompetas, tres trombones, tres saxofones, un bajo eléctrico, una tumbadora, un bongosero y una batería.

– ¿No tiene en cuenta la electrónica?

—¡Síiii, cómo no! Yo fui quien introdujo la música electrónica en Estados Unidos cuando hice *Patricia* con él órgano. Ahora estamos introduciendo nuevos efectos electrónicos en la batería... Voy a hacer cambios para la semana que viene.

– ¿Usted siempre está inventando?

—Me encanta formar problemas. ¡Ja, ja, ja!... Es muy bonito.

– ¿Cuántos discos ha grabado? Menciónme algunos de las más recientes.

—¡Uhhh!, más de cien... Nombres no... no recuerdo.

– ¿Qué música suya se ha utilizado en películas?

—¡Ah, sí!, *Patricia*, en *La dolce vita*; un arreglo mío se utilizó en la cinta norteamericana *Debajo del agua*... y muchas otras... no recuerdo.

– Si deja de hacer música...

—¡Ay, no! Sería todo muy vacío... no podría.

—*¿Qué es para usted la música?*

—La quiero y tengo mucha facilidad para ella.

—*¿Y qué aporta la música al hombre?*

—Puede dar muchos mensajes, pues lo abarca todo en la raza humana. Depende de cómo se haga o cómo se utilice. Sin ella creo que la vida sería muy sonsa.

—*¿Le gustaría visitar a Cuba?*

—A mí sí. ¿Por qué no?

—*¿Espera hacerlo pronto?*

—Sí. No sé cuándo, pero pienso hacerlo. Y he tenido el honor de ser invitado. Lo que sucede es que estoy calculando para ver cuándo puedo ir.

—*¿Tiene que hacer ajustes de acuerdo con sus contratos?*

—Exactamente.

—*¿Qué piensa de los cambios en el orden social y humano que se llevan a cabo en Cuba?*

—Pues veo todo muy bien, de acuerdo con lo que he sabido, porque no lo he visto.

—*¿Qué le recomendaría a los músicos jóvenes?*

—A la gente joven ahora les recomiendo que estudien mucho, cualquier cosa... Estudiar bastante la materia que más les guste: mientras más se sabe menos se sabe.

—*¿No tiene alguna anécdota rica de sus años en Cuba... algún recuerdo?*

—Liduvino Pereira, un suponer: era el director de la Casino de la Playa... Ya debe de haber muerto, porque era un hombre viejo. Una persona muy decente. Recuerdo uno que le decíamos Cuquín... un recuerdo muy bonito.

—*¿No le han dicho que en Cuba se baila todavía el mambo? Los jóvenes lo aprenden en un programa de televisión.*

—¡Qué bonito! Pues me voy a valer de usted para enviarle un saludo a todo el pueblo de Cuba y a esa juventud nueva que está aprendiendo a bailar mi música. ¡Qué bonito para mí que hagan eso! Me da cierto placer... Es un halago para mi trabajo. Les mando un abrazo y un beso con mucho amor.

Tomado de *Revolución y Cultura*, No. 83, 1979, pp. 58-63.

¡Qué rico MAMBO!

Leonardo Acosta

Hablar de Dámaso Pérez Prado es entrar de lleno en el campo de la polémica. Por ejemplo, es curioso comparar su ficha en el *Diccionario de la música cubana* de mi amigo el musicólogo Helio Orovio, con la entrevista que le hizo en México la periodista Erena Hernández, que a su vez constituye el primer capítulo de su libro *La música en persona*. En esta "Conversación con Pérez Prado" hay muchas preguntas que el músico no contesta. En primer lugar, se le olvida el año en que nació, aunque recordaba que fue un 11 de diciembre en Matanzas. Orovio nos dice con implacable seguridad que nació 1916. También afirma que estudió música con Rafael Somavilla (padre), pero Dámaso en la entrevista solo recordaba haber estudiado con la profesora María Angulo. Posiblemente estudió con ambos. Por otra parte, los dos textos coinciden en que Pérez Prado comenzó en Matanzas con una orquesta tipo charanga, tocando danzones, con la diferencia de que Dámaso asegura que él formó la orquesta. Además, señala que también trabajó con la agrupación de Paulina Álvarez.

Tampoco hay pleno acuerdo sobre la fecha en que vino a La Habana. Dámaso responde a Erena que fue "como en el año 40 por ahí..." Orovio asegura que fue en 1942. Repitiendo datos más o menos conocidos agregaré que ya en La Habana Pérez Prado trabajó en las orquestas del cabaret Kursaal, en la zona del puerto, y del Pennsylvania, en la playa de Marianao. Helio Orovio nos informa que integró la orquesta Cubaney de Pilderó y la de CMQ. Pisamos ya terreno más firme cuando Pérez Prado entra en contacto con la famosa Orquesta Casino de la Playa. Por diversas fuentes sabemos que el acercamiento de Pérez Prado a la Casino de la Playa se debió en un principio al popular cantante Orlando Guerra (*Cascarita,* quien le solicitó varios arreglos), y el propio Pérez Prado recuerda que fue "en 1942 cuando empecé a hacer los arreglos a Cascarita", guarachero de primera línea que también actuó con la Orquesta Hermanos Palau y con la de julio Cueva en los más populares espacios radiales de la época. Posteriormente el futuro Rey del Mambo pasará a ocupar la plaza de pianista en la Casino de la Playa.

Esta orquesta tipo jazzband fue organizada en 1937 por cinco exintegrantes de la Hermanos Castro: el violinista (y director) Guillermo Portela, el saxofonista Liduvino Pereira, el trompetista y cantante Walfredo de los Reyes, el pianista Anselmo Sacasas y el cantante Miguelito Valdés, el luego famoso *Mister Babalú* que conquistó la escena musical latina en Estados Unidos. Cuando Miguelito y el pianista Anselmo Sacasas se marcharon a Nueva York, e incluso abandonó la Casino su director Guillermo Portela, la orquesta sufrió un *impasse* del que se repuso en 1943, ahora bajo la dirección de Liduvino Pereira, con Cascarita como cantante y Pérez Prado como pianista y arreglista. En 1943 aparecen varias grabaciones en que Cascarita se muestra como lo consideramos hoy, un verdadero precursor de Benny Moré, mientras los solos de piano de Pérez Prado anuncian ya, en su empleo de disonancias y sus ritmos sincopados, lo que será el mambo unos años más tarde.

¿QUIÉN FUE EL PADRE DE LA CRIATURA?

Uno de los temas de discusión centrales en torno a Pérez Prado es, por supuesto, la "invención" del mambo. ¿Fue Dámaso el inventor, o más bien fue el responsable de la "cosmopolitización" del mambo, como diría el maestro Odilio Urfé? Sobre esto se ha escrito bastante, incluyendo mi propia entrevista a Orestes *Macho* López, creador del danzón *Mambo* en 1937 con la orquesta de Arcaño y sus Maravillas. Pero sabemos que además de la cuarta parte "mambeada" que introdujo Macho en el "danzón del nuevo ritmo" de Arcaño, el gran sonero Arsenio Rodríguez experimentaba hacia la misma época con el ritmo que él llamó *diablo*. Arsenio desencadenó una polémica sobre la creación del mambo a fines de los años cuarenta, en las páginas de la revista *Bohemia.* Hoy mi punto de vista sobre la cuestión es algo más ecléctico de lo que fuera hace algunos años, y pienso que el mambo era algo que "estaba en el ambiente".

En los años cuarenta, por lo menos siete músicos cubanos experimentaron con ritmos, melodías y armonías que luego serían sellos del mambo. Además de Orestes *Macho* López y su hermano Israel *Cachao* López, ambos con Arcaño; de Pérez Prado con la Casino, y de Arsenio, *El Ciego Maravilloso*, con su propio conjunto, por lo menos otros tres músicos cubanos comenzaban a incursionar en lo que más tarde sería conocido universalmente como mambo: eran ellos el pianista y arreglista Bebo Valdés (padre de Chucho), el tresero y también arreglista Andrés Echeverría *(El Niño Rivera)*, y el pianista René Hernández, entonces con la jazzband del trompetista Julio Cueva. Podemos suponer que unos tuvieron menos suerte o habilidad que otros y fue Dámaso quien con mayor fortuna logró imponerse mundialmente con el nuevo ritmo. Pero tampoco es tan sencilla la historia y en todo caso hay que felicitar a Pérez Prado por su tenacidad y por hacer lo que tenía que hacer en el momento preciso, ni antes ni después. Porque el mismo triunfador de unos años más tarde tuvo más de un tropiezo en su afán de lanzar el nuevo ritmo.

Antes de marchar a México, Dámaso trató de lanzar el mambo en Cuba y llegó a grabar dos caras de un disco sencillo con su *Mambo caén* y *So caballo*. Varios músicos cubanos de primera fila participaron en esta grabación y lo hicieron gratis; entre ellos estaban nada menos que el saxofonista alto y director de orquesta Germán Lebatard, el genial guitarrista Vicente González-Rubiera (el maestro Guyún), el saxo barítono Osvaldo Urrutia y el contrabajista Reinaldo Mercier. Todos se interesaron en los modernos arreglos de Pérez Prado, pero no sucedió lo mismo con nuestros timoratos empresarios de las nacientes disqueras nacionales, que preferían "jugar al seguro" y no correr riesgos con nada nuevo. Esta falta de visión de aquellos fabricantes y enlatadores de música decidió a Pérez Prado a emigrar, e hizo bien, ya que luego corrieron la misma suerte Bebo Valdés con su ritmo batanga y El Niño Rivera con su Cubibop.

Siguiendo un consejo inicial del cantante Kiko Mendive, el matancero partió hacia México, donde recibió inestimable ayuda de nuestra vedette Ninón Sevilla, que ya triunfaba en el cine mexicano, y del bongosero Clemente *Chicho* Piquero, quien lo ayudó a resolver el carnet de la Unión de Músicos del hermano país. Chicho regresaría luego a Cuba con Benny Moré, en cuya "banda gigante" permaneció desde su fundación hasta la muerte del Benny en 1963. Aclaremos que en la misma entrevista citada, Pérez Prado en un momento recuerda que sus ideas sobre el ritmo mambo venían "dándole vuelta en la cabeza... posiblemente desde Cuba". Y agrega: "pero como no me dieron la oportunidad vine a practicarlo a México". Los primeros números que grabó allí para la RCA Victor fueron *José* y *Macamé,* pero los que realmente se convirtieron en hits fueron *Mambo número cinco* y sobre todo *Qué rico el mambo.*

LA DISPERSIÓN DE LOS HÉROES

Mientras muchos artistas de otras latitudes que venían a "hacer la América", como dice Eduardo Robreño, comenzaban invariablemente por La Habana, que los acogía con todo fervor –el caso típico serían los Chavales de España–, muchos músicos cubanos tenían que emigrar para obtener el reconocimiento que merecían. La lista sería demasiado larga, por lo cual nos limitaremos a aquellos que conciernen a nuestra pequeña historia, los relacionados de alguna forma con el mambo. Como los héroes de la *Ilíada,* que se dispersan por el Mediterráneo al terminar la guerra de Troya, nuestros músicos se dispersaban por el mundo, a pesar de que hay quienes hablan hoy de esa época como la "Edad de Oro" del espectáculo y la música en Cuba (claro, el oro iba a parar a otros bolsillos). Pérez Prado, Benny Moré y Francisco Fellove se establecieron en México. Otros irán a Suramérica o Europa. Y además de Miguelito Valdés y Anselmo Sacasas, ya estaban en USA Don Azpiazu, José A. Curbelo, Mario Bauzá, Frank Grillo (Machito), Alberto Socarrás, Alberto Iznaga, René Touzet, y pronto llegaría a la jungla de asfalto neoyorquina René Hernández, Chano Pozo y Arsenio Rodríguez.

Casi toda la música cubana era clasificada entonces en USA como "rumba", aunque se tratara de son, un pregón, una guaracha o una canción afro, hasta que llegó el mambo. Entonces todo fue mambo, como luego todo fue chachachá. Y aquí conviene hacer una de esas aclaraciones sobre cosas que llevan años pidiéndolas. El pianista y arreglista René Hernández, a quien hemos visto con Julio Cueva, se incorporó en Nueva York a la orquesta de Machito y sus Afrocubanos, cuyo arreglista principal era Mario Bauzá. Mientras por una parte Machito, Bauzá y Chano Pozo fueron puntales del jazz afrocubano o cubop (hoy mal llamado jazz latino) junto con jazzistas como Dizzy Gillespie y Charlie Parker, René Hernández introdujo el mambo en la banda de Machito, con sus arreglos y su estilo pianístico. Por este motivo Pérez Prado nunca logró triunfar entre el público negro e hispanoparlante de Nueva York; para ellos el mambo era conocido, y "Rey del Mambo" fue primero Machito y luego el boricua Tito Puente.

Otros héroes de nuestra historia seguirán trayectorias diferentes: Arsenio llegó a Nueva York en 1950, pero solo fue aclamado como uno de los grandes creadores de la música afroantillana con los comienzos de los salseros en los años sesenta. Israel *Cachao* López pudo disfrutar de similar renombre con el auge de la salsa en los setenta, mientras su hermano Orestes, quien puso la primera piedra al edificio con su danzón *Mambo* (grabado hace algunos años por el mismísimo Pérez Prado en Nueva York), se refugiaba por entonces en la Orquesta Filarmónica de La Habana. Bebo Valdés, luego de la aventura del batanga, fue a probar suerte en México y finalmente se estableció en Estocolmo, Suecia. Por su parte, el Niño Rivera apenas recibió atención alguna a pesar de hacer su cubibop antes de que se impusiera el cubop o jazz afrocubano en Nueva York.

EL ESTILO DE PÉREZ PRADO

Se ha dicho hasta la saciedad que Pérez Prado logró su peculiar estilo basándose en los ritmos cubanos y el formato y orquestaciones (o arreglos) tomados del jazz, en particular de la banda de Stan Kenton. Este esquema, difundido hasta por los más sagaces críticos e historiadores del jazz y repetido por los cubanos (incluso por el propio Helio Orovio), es cierto solo en parte y nos impide ver los auténticos logros del gran músico matancero. Porque en su forma de orquestar Pérez Prado procedió en esencia de manera opuesta a la de Stan Kenton y sus arreglistas. Precisamente en los momentos en que Kenton aumenta su sección de trombones a cuatro y luego a cinco, el cubano usa un solo trombón que utiliza para pedales, acentuaciones rítmicas o "gruñidos". La sección de trompetas de Dámaso sí llegó a cinco (al igual que las de Kenton, Woody Herman y otros), pero emplea muchos más los pasajes en unísono, estableciendo un constante contrapunteo con los saxofones.

A su vez la sección de saxos resulta disminuida por Dámaso de cinco a cuatro (elimina un saxo tenor), ya que la cuerda de saxofones es usada por Pérez Prado casi siempre al unísono y en el registro grave, salvo casos aislados como el solo de saxo alto en *Mambo in Sax* o el dúo de altos en *La chula linda*. Y el fraseo de trompeta y saxos responde a la polirritmia que entablan la percusión, el contrabajo y el piano. En resumen, que frente a la tendencia de los orquestadores de jazz de *empastar* cada vez más el sonido de la banda, que llegó a fundir instrumentos de distintas secciones en muchos pasajes (tendencia que culmina en Gil Evans a fines de los cincuenta), Pérez Prado establece diferentes planos sonoros con dos registros básicos: uno agudo con las trompetas y otro grave con los saxos, ambos en constante contrapunto y con una función *más melódico-rítmica que melódico-armónica*.

No queremos decir que Pérez Prado ignoraba los procedimientos orquestales de los grandes arreglistas de jazz, que tanto han influido en nuestra música, pero debemos cuestionarnos por qué se insiste en la supuesta ascendencia de Stan Kenton sobre el cubano, en lo cual se equivocan críticos tan prestigiosos como Joachim E. Berendt, quien inexplicablemente sigue otra pista falsa al decir que en el mambo hay influencias de "ritmos mexicanos". Nuestra opinión es que la relación Kenton/Pérez Prado surge de un malentendido: otro gran músico cubano, el director de orquesta y arreglista Armando Romeu, tomó un tema de la banda de Kenton y lo orquestó en el estilo de Dámaso; este fue el famoso *Mambo a la Kenton*, que Armando le envió a México a su compatriota en espontáneo homenaje tanto a él como a Kenton. Todos atribuyeron erróneamente la autoría de este número a Pérez Prado, hasta el propio Stan Kenton, que en reciprocidad grabó un número de jazz con ritmos afrocubanos que tituló *Viva Prado*, al igual que antes había grabado *Machito* en homenaje a Frank Grillo. De este hecho surge la confusión y esperanza que una vez aclarada se revise el esquema.

¿HIJO DEL DANZÓN DEL SON?

Por otra parte, los musicólogos y críticos cubanos hemos repetido una y otra vez que el mambo proviene del "danzón de nuevo ritmo" y por lo tanto lo insertamos en el llamado "complejo del danzón". Es cierto que Pérez Prado provenía de un ambiente danzonero y con seguridad escuchó a Arcaño y al danzón *Mambo* de Orestes López, pero se olvida que Macho lo que hizo fue introducir el pulso rítmico del son como última parte del danzón tradicional, dominado por la célula rítmica del cinquillo; más importante aún es que Dámaso toma precisamente esta última parte, de clara inspiración sonera. Pero además otros músicos, como Arsenio Rodríguez y El Niño Rivera, llegan al mambo desde el son, de aquí que consideremos al mambo más proveniente del son que del danzón, aunque conserve algunos rasgos de este último como la presencia de los timbales o pailas y algunos de sus efectos y figurados rítmicos. Esto se hace más evidente en la variante del mambo lento (*mambo caén*), ya que el mambo más acelerado (*mambo batiri*) posee a su vez elementos de la rumba –no olvidemos que Pérez Prado provenía de Matanzas, que si bien es la tierra del danzón, lo es también de la rumba. De esta forma Pérez Prado logró una gran variedad rítmica dentro de una coherencia estilística absoluta, para lo cual empleó un juego de instrumentos percutivos único en su época, con dos tumbadoras, bongó y pailas, que adoptan distintas funciones. El bongó, por ejemplo, puede asumir el papel del quinto en la rumba, mientras las pailas, mediante la adición de un platillo de aire, pueden desempeñar la función de una batería. Además, Dámaso contó con verdaderos virtuosos de la percusión cubana, como el citado bongosero Clemente Piquero y el tumbador Mongo Santamaría, por solo mencionar dos nombres.

Decíamos que Pérez Prado es prácticamente la polémica personificada y lo estamos comprobando. Ahora, para colmo, además de polemizar con mis colegas cubanos y con los norteamericanos, debo rebatir a algunos amigos caribeños que se especializan en la salsa, quienes afirman que Pérez Prado nunca tuvo popularidad en Cuba, ya que no le perdonábamos el haberse marchado a México, por lo cual preferíamos a Benny Moré y a Enrique Jorrín. Falso. Comencemos por los músicos: la impronta de Pérez Prado estuvo presente en excelentes originales de los mejores orquestadores cubanos como Bebo Valdés (*Rareza del siglo, Güempa*), Peruchín Jústiz (*Mamey colorao, España en llamas, Semilla de marañón*), o Armando Romeu con su referido *Mambo a la Kenton*. La influencia de Dámaso en la banda de Benny y sus arreglistas (Cabrera, Peruchín, Generoso) es indiscutible, lo que no impidió que cada músico desarrollara su estilo, al igual que en Nueva York lo hicieron Mario Bauzá, René Hernández y Chico O'Farril.

LOS GRANDES ÉXITOS DE PÉREZ PRADO

Por falta de espacio, pasaremos por alto las muchas películas mexicanas en que participó Pérez Prado. Entre sus grandes éxitos, además del clásico *Qué rico el mambo*, tenemos *El ruletero*, *El papelero*, *José*, *Mambo número uno*, *Mambo caén*, *Mambo batiri*, *Mambo número cinco*, *Mambo número ocho*, *Caballo negro*, *La chula linda*, *Lupita*, *Mambo in Sax*, *Silbando mambo*, *Mambo a la Kenton* y *Pianolo*, con formidables solos del trompetista mexicano Chilo Morán y del propio Dámaso, que introduce los *clusters* (o "racimos" de notas) en la pianística popular cubana, tal como lo hizo Thelonius Monk en el jazz. ¿Y cómo no recordar en la voz de Benny Moré *Rabo y oreja*, *Bonito y sabroso*, *Panchito Eché o Locas por el mambo*? Los discos del cubano batieron records de ventas en USA y el mundo entero. *Qué rico el mambo* vendió más de cuatro millones de discos hacia 1951 y *Patricia* vendió cinco millones en 1955. Pérez Prado recibió el Disco de Oro de la Victor por *Cerezo rosa* (rebautizado como *Cherry Pink and Apple Blossom*). Y *Patricia*, también rebautizada con el título de *Mambo no Twist*, fue utilizado por Federico Fellini para su famosa película *La dulce vida*. No contento con sus éxitos comerciales, Pérez Prado incursionó en el ámbito sinfónico con la *Suite de las Américas*.

En Cuba el éxito de Pérez Prado no pudo ser mayor, aunque viviera y grabara en México. No solo se vendían sus discos, que sonaban a toda hora en victrolas y radios, sino también se vendían sus partituras impresas en tiendas de música y en el estanquillo del propio Sindicato de Músicos de Cuba. En el repertorio de todas las jazzbands en que trabajé figuraban los arreglos de Pérez Prado. Personalmente solo pude verlo tres veces. Una fue al frente de su banda en el recién inaugurado canal 4 de televisión, en Mazón y San Miguel, ya que él fue una de las primeras figuras que la televisión trajo a Cuba. La segunda vez que lo vi fue en el cabaret Sans Souci. La última vez saludé a un Dámaso muy cortés y afable, en la tienda de discos Fusté, en Amistad entre Neptuno y San Miguel, cuando me lo presentó el baterista Bertie Cancio, que tocaba en la orquesta Monte Casino de Sancti Spíritus y entonces era compañero mío en la Universidad. A pesar de la mala memoria de Dámaso, según comprobamos en la entrevista que le hizo Erena; a pesar de que mi propia memoria no anda demasiado bien, y de todas las polémicas que puedan surgir en torno a su figura y su música, siempre seguiré recordando a Dámaso Pérez Prado como El Rey del Mambo.

Publicado en *Bohemia*, año 81, No. 39, 29 de septiembre de 1989, pp. 4-8.

EL EXILIO MUSICAL DE PÉREZ PRADO

Rosendo Ruiz Quevedo

• La muerte del Rey del Mambo, Dámaso Pérez Prado, el pasado 14 de septiembre de 1989, en Ciudad México, ha llenado de pesares a mexicanos y cubanos que conocían su exitosa carrera artística. A manera de homenaje, *CLAVE* trae a sus páginas este artículo en el que el autor aborda un tema casi desconocido –sobre todo para las más jóvenes generaciones– que, junto a las polémicas acerca de la legítima paternidad del mambo, han sido objeto de atención en diferentes publicaciones latinoamericanas desde hace unos años.

Los sucesos a los que voy a referirme –de los cuales fui testigo de excepción– ocurrieron a mediados de la década de los cuarenta.

Por aquella época, los magnates del consorcio editorial musical de la Peer International (Southern Music Co), alarmados ante el auge incontenible de la música popular cubana, muy especialmente la de estilo bailable, decidieron imponer un "castigo ejemplar" a partir de estimar que las orquestaciones realizadas en Cuba, sobrepasaban los límites convenientes a sus intereses. Para ello, el maestro Dámaso Pérez Prado resultó ser una víctima escogida.

Hagamos un poco de historia para una mejor comprensión de nuestro relato.

COMIENZAN A ORGANIZARSE LOS COMPOSITORES Y EDITORES MUSICALES NORTEAMERICANOS, SURGE LA RADIODIFUSIÓN EN LOS ESTADO UNIDOS DE AMÉRICA

El triunfo indiscutible de la música popular norteamericana a nivel mundial a partir del jazz, propicia la organización de los compositores y editores de música.

Hacia 1914, ya radicaban en el Tin Pan Alley (literalmente "Callejuela de la sartén de lata" de Nueva York), un grupo de casas editoriales de música.

El concepto de *editor musical*, hasta entonces limitado a una gestión más bien de carácter personal, comenzó a evolucionar poco a poco encaminándose a una estructura de mayor complejidad.

Casi al mismo tiempo del Tin Pan Alley, el destacado compositor norteamericano Victor Herbert, junto a otros creadores contemporáneos, organizó la Sociedad Americana de Compositores y Editores Norteamericanos (ASCAP).

En diciembre de 1920 se inauguró la primera estación radial de Norteamérica, la East Pittsburg, PA y, en menos de dos años, ya había quinientas estaciones radiodifusoras.

Es importante subrayar que al instituirse la ASCAP, esta se apoya en un precepto de la Ley de Propiedad Intelectual norteamericana de 1897, la cual determina que una composición musical: "... no podía ser publicada ni ejecutada para propósito de beneficio, sin la correspondiente licencia expedida al efecto..."

Por su parte los representantes de la radiodifusión norteamericana adoptaron la posición de que "ellos no pagarían por el uso del repertorio musical existente..."

Así las cosas, los compositores y editores musicales agrupados en la ASCAP trataron de imponer tarifas de pago a la radiodifusión por el uso de un catálogo que añadía a la música norteamericana un importante cancionero europeo, principalmente procedente de España, Francia, Italia, e Inglaterra. Es a partir de entonces que se originó un litigio de carácter legal entre los radio emisores y la ASCAP.

UN PERSONAJE SINGULAR: MR. RALPH S. PEER

Mr. Ralph S. Peer, un intrascendente agente de venta de discos de la R.C.A. Victor, solía llevar un equipo portátil de grabación y un amplio surtido de bebidas alcohólicas al salir de recorrido por el sur del país.

Durante la noche, Mr Peer se reunía con trabajadores de plantaciones algodoneras y otras labores, les brindaba de su bebida y pronto empezaban a escucharse cantos y tonadas. El "entusiasta" Mr Peer ponía en acción su grabadora... posteriormente mandaba a transcribir textos y melodías.

El siguiente paso era "legalizar" toda aquella música mediante inscripción a su nombre en el Departamento de Propiedad Intelectual de los Estados Unidos. Al decursar del tiempo, los funcionarios de la R.C.A. Victor detectaron con cierta sorpresa la cantidad de obras grabadas correspondientes a un autor desconocido: su diligente empleado Mr. Peer.

Como premio a su "inteligencia" y "honestidad" fue incorporado a un cargo ejecutivo de la referida firma discográfica.

PEER INTERNATIONAL (SOUTHERN MUSIC CO.) INICIA LA EXPLOTACIÓN MERCANTIL MONOPOLISTA DE LA MUSICA LATINOAMERICANA Y CARIBEÑA

En medio del pleito establecido entre la ASCAP y los radio emisores norteamericanos, a Peer se le ocurre una idea indudablemente brillante: organizar una editora musical con casa matriz en Estados Unidos, mediante la cual pudiera controlar toda la creación musical con casa matriz latinoamericana y del Caribe. Vale aclarar que ya para entonces la grabación fonográfica y la radiodifusión, constituían excelentes y productivos soportes materiales los cuales funcionaban a partir de un núcleo generador, la música.

Surge así la Peer International (Southern Music Co.), como oficina central bajo cuya dirección (mediante la fórmula de contratos firmados por los compositores en diferentes países), se crean oficinas, filiales o sucursales situadas en Argentina, México, Brasil, Cuba y Chile entre otros.

A partir de las facilidades que proporcionaba la política de domino político económico ejercida por Estados Unidos en los restantes países del continente, se logran controlar sin dificultad los dos aspectos esenciales en la práctica universal del derecho de autor: el derecho editorial y el derecho de ejecución pública.

El primero, lo ejercen las editoriales mediante un compromiso contractual con el compositor, al que se engaña con diferentes fórmulas leguleyas.

El derecho de ejecución pública corresponde a las Sociedades de Autores.

En la práctica Peer International dominaba de hecho la casi totalidad de las sociedades de autores de Latinoamérica.

Mr. Peer no descuidó un solo eslabón de la cadena autoral. Con el tiempo, los radioemisores fundaron la Broadcasting Music Inc. (B.M.I.) y, a su vez, Mr Peer organizó la American Performing Right, entidad que serviría de intermediaria entre las Sociedades Autorales bajo el control del propio Peer y la antes citada B.M.I.

EL MONOPOLIO DE PEER INTERNATIONAL SE ESTABLECE EN LA HABANA

Desde el pasado siglo XIX, la música cubana trascendió nuestras propias fronteras.

En tanto la contradanza cubana fluyó en todo el hemisferio, la habanera se perfiló universalmente, incluso insertada en el quehacer musical de grandes compositores europeos.

Pero no sería hasta la presente centuria que una música folklórico popular (un folclor vivo insertado en lo popular) traspasara la barreras geográficas para dejar huellas de una definida identidad.

Hacia la tercera década de este siglo, Alejo Carpentier enviaba a La Habana crónicas diversas desde París. La música popular cubana había triunfado en las célebres capitales del orbe: París, Madrid, Nueva York. En especial el son cubano se codeaba de "tú por tú" con el jazz norteamericano y el tango argentino.

Ya triunfaba en toda la línea el Sexteto Habanero, el Septeto Nacional, el Trío Matamoros, el cuarteto de Antonio Machín, la Orquesta de Don Azpiazu y Rita Montaner con *El manisero* de Moisés Simons y *Mamá Inés* de Eliseo Grenet. Junto al son, el danzón, los motivos afrocubanos y la rumba de salón, la sonoridad caribeña entraba en acción.

Es entonces que Peer fijó su pupila de águila en nuestra Gran Antilla e instaló una oficina sucursal "supuestamente nacional", la Peer y Cía., en la zona comercial habanera conocida como la Manzana de Gómez. Como gerente de la editora musical fue escogido una verdadera ave de rapiña de la música, Ernesto Roca. Dicho señor llegó a ostentar los cargos de gerente de la Peer y ejecutivo de la Federación de Autores Cubanos (integrada por sociedades autorales fantasmas) al tiempo que ejercía el cargo de director de la Oficina del Registro de la Propiedad Intelectual de Cuba.

El tal Ernesto Roca, se limitaba por supuesto a cumplir las órdenes recibidas. Por su parte la Southern Peer manejaba las diferente modalidades populares, impulsando unas y reteniendo otras, según estimara conveniente a sus intereses. Así sucedió con la promoción del tango en Argentina, el corrido y la ranchera en México, el samba del Brasil, y el son de Cuba? después seguirían los calypsos de Trinidad, Jamaica y las Bahamas, la biguina y la luggania de Martinica, la plena de Puerto Rico, la cumbia de Colombia y el merengue de República Dominicana.

DÁMASO PÉREZ PRADO VÍCTIMA DE UNA INSÓLITA CONJURA

Ya mediada la década de los inquietos años cuarenta, llega a La Habana Fernando Castro, representante de la División Latina de la Southern Music Co. & Peer International. Rápidamente se convoca a un grupo de compositores y de orquestadores musicales, en las oficinas de la sucursal cubana de la Peer para escuchar la información de la que era portador el señor Castro, un avispado vocero domesticado a los intereses de los magnates de la Peer.

Entre otros asuntos, Fernando Castro planteó que "... la música popular cubana estaba siendo adulterada y corría el peligro de perder sus valores originales". Como causa principal señaló las "extravagantes" orquestaciones que (muy especialmente en el formato de las orquestas de tipo jazz band) venían realizando algunos "arreglistas".

Y sin otra aclaración, expresó se había tomado la medida de que "a partir de ese momento, ningún creador musical adscripto al consorcio que él representaba, podía entregar su música a Dámaso Pérez Prado para orquestarla...".

¿Qué había ocurrido para que la Peer adoptara tan incoherente e injusta interpretación?

No es desconocida para nadie la práctica capitalista de tener a su disposición una especie de "inteligencia cultural", es decir, grupos especializados de investigación que rastrean por así decirlo la marcha de los sucesos, en este caso lo referente al campo musical.

Tras el auge de la música popular en los años treinta, la inquietud aumentó en la década del cuarenta: Arsenio Rodríguez renovó el son y acentuó el carácter afrocubano; el "nuevo ritmo" de Arcaño, con la producción del mambo danzonero de los hermanos Orestes e Israel López, la proyección del cancionero lírico y romántico, el triunfo de orquestas como Casino de la Playa y el éxito impresionante de Miguelito Valdés (Mr. Babalú) en los Estados Unidos. Incluso la percusión cubana culminaba con la actuación de Chano Pozo en Tow Hall bajo los auspicios de Dizzy Gillespie, toda una presencia rítmica revitalizadora del jazz.

De cierta manera la alarma de los asesores técnicos de Peer no era del todo desacertada. Ya en los años cuarenta la música cubana ampliaba su espectro armónico y expresivo sin que por ello perdiera su autenticidad. Un ejemplo de ello fue el filin (*feeling*), una nueva y definida modalidad en la canción cubana.

Pero algo más sucedía. Un grupo cada vez mayor de orquestadores cubanos (por citar solo dos: Bebo Valdés y Dámaso Pérez Prado) venían utilizando los "últimos recursos técnico-instrumentales del jazz". Aplicándolos a los "arreglos" musicales de nuestros sones, guarachas y motivos afrocubanos. En definitiva, el formato característico estadounidense del jazz band se convertía en un medio instrumental cuyo objetivo final era colocar la música popular cubana a la vanguardia de un sonido afrocaribeño característico. Las instrumentaciones convencionales que la Peer solía distribuir, llegaron a perder demanda.

Una vez más Cuba se escapaba del control musical norteamericano y se imponía a aplicar una "castigo". Por ello la víctima escogida fue Dámaso Pérez Prado, quien ya no podía subsistir con el limitado ingreso que obtenía como pianista en los centros nocturnos de la capital cubana. Su ingreso principal devenía de las instrumentaciones que le encargaban los autores. Al serle negada esta posibilidad, prácticamente es conminado a abandonar el país, y decide trasladarse a México, una plaza siempre abierta a nuestros músicos.

EL REY DEL MAMBO

En 1947, Dámaso Pérez Prado parte a México, donde integra varias agrupaciones musicales. Junto a Benny Moré realiza una exitosa labor que incluyó actuaciones en teatros, clubes nocturnos, giras por el país azteca y muy especialmente diversas grabaciones fonográficas; así como su participación en la creación de música para bandas sonoras de filmes mexicanos.

Alrededor de 1950, Pérez Prado funda su propia orquesta y Benny Moré regresa a Cuba. Con la ayuda de artistas ya establecidos firmemente en Ciudad México, logra ser contrata-do por teatros importantes para presentar su orquesta.

Ya el maestro Pérez Prado había madurado sus ideas musi-cales que partían en lo general de la atmósfera del mambo dan-zonero para alcanzar la dimensión de un estilo personal, de una realización con sello muy propio expuesta en una fórmula se-minstrumental: una percusión muy cubana "a tiempo", con-trastando con un contrapunto de saxofones al unísono "mam-beados" (sincopados) en el registro bajo, en tanto las trompetas alcanzaban registros sobreagudos y se intercalaban los trombo-nes en efectos tímbricos especiales. Tal como señala el destaca-do especialista en música y saxofonista Leonardo Acosta, Pérez Prado utilizó todo un arsenal de efectos especiales (gimmicks) Además con su voz ronca producía sonidos imprecisos: "semi-gruñidos" o "semigritos".

Entusiasmado con el proyecto del maestro Pérez Prado, el gerente de la R. C. A. mexicana, Rivera Conde, le facilitó la mejor técnica de grabación hasta entonces disponible en alta fidelidad.

Ya en 1951 el estilo de Pérez Prado que él denominó mambo (no obstante ser conocido de antemano ese vocablo), triunfa no solo en México sino a nivel mundial. *Mambo No. 5, Piannolo, Caballo negro, El ruletero, Mambo en sax, Mambo No. 8* son títulos reconocidos en todas partes.

Ante el hecho consumado a Peer International no le quedó otro camino que aceptar el éxito de quien pretendieron destruir y lo hacen firmando producciones del maestro a través de la EMMI (una editora musical "mexicana", aunque era la filial de la Southern Co. de Nueva York).

Ante el rotundo triunfo de Dámaso Pérez Prado en México, se puede concordar en que los augurios musicales de la Peer no eran del todo desacertados, pero ello no justifica sus inútiles e innobles intentos de interrumpir a toda costa el desarrollo de la música popular cubana.

Otras sorpresas aguardaban al cartel imperialista Southern/Peer. En ese mismo año (1951) cuando Pérez Prado triunfaba con la modalidad que él llamara mambo, un novedoso estilo rítmico, el chachachá, creado por el maestro Enrique Jorrín (ya fallecido), se anunciaba como otro gran suceso musical cubano. Años más tarde, el mambo y el chachachá se enfrentaban mun-dialmente a la arrasante ola de rock and roll que lidereaba Elvis Presley.

Pero aún hubo algo más. Un grupo de compositores, fundadores del movimiento filin, organizaron la primera editorial de creadores musicales Asociación Musicabana, que tomó partido en defensa plena de la música cubana al denunciar y enfrentar a todos los monopolios explotadores.

A menos de un lustro, en mayo 21 de 1955, con la firma del propio Ralph S. Peer, la Southern Music Co. dirigió una histórica comunicación (cuyo original obra en poder de este autor), a Rosendo Ruiz Quevedo, en su carácter de encargado de Propaganda y Relaciones Exteriores de Musicabana.

Peer reconocía en su carta el triunfo editorial cubano y planteaba la posibilidad de celebrar una entrevista con sus dirigentes. Cinco meses después, Peer visitaba La Habana. La entrevista se efectuó, pero los resultados fueron negativos para los propósitos del consorcio Peer.

Por primera vez un grupo de autores cubanos ponía en descalabro los intereses de Mr. Ralph S. Peer, "zar de la música latinoamericana".

Publicado en *Clave. Revista Cubana de música*, No. 15, 1989, pp. 7-9.

Todo lo que usted quiso saber sobre el mambo…

Radamés Giro

> Cuando el serio y bien vestido cubano, Dámaso Pérez Prado, descubrió la manera de ensartar todos los ruidos urbanos en un hilo de saxofón, se dio un golpe de estado contra la soberanía de todos los ritmos conocidos...
>
> GABRIEL GARCÍA MÁRQUEZ

1

El mambo es quizás el género más controvertido de la música popular cubana, más si ya casi nadie cuestiona a Miguel Faílde como creador del danzón, a Pepe Sánchez como el que le dio forma definitiva al bolero cubano, a Aniceto Díaz y a Enrique Jorrín como creadores del danzonete y el chachachá respectivamente, con el mambo no sucede lo mismo ¿Por qué? Eso es lo que trataré de explicar, pero adelanto, desde ahora, que más me interesa fijar los detalles que descubrir nuevos hechos, aunque del conjunto siempre podemos sacar algunas conclusiones. Comenzaré por ordenar las discusiones sostenidas durante más de cuarenta años acerca del origen de la palabra mambo, sus características y su inventor.

Un primer acercamiento al problema nos lo ofrece Obdulio Morales, para quien el "mambo es voz espontánea, una expresión, un grito de un bailador durante un mambo cualquiera y fue repetido por los demás hasta patentizarse".[1] A este punto de vis-

---

[1] Ver Manuel Cuéllar Vizcaíno: "La revolución del mambo", *Bohemia*, La Habana, 30 de mayo de 1948.

ta de Morales, que data de 1948, responde Odilio Urfé el mismo año: "en la ceremonia Vodú que practica la gran mayoría del pueblo haitiano, llámesele Mambo a la sacerdotisa que oficia ese acto religioso"; y en otra parte de esta definición: "Mambo es una expresión muy común entre los columbianos (individuos que practican la rumba Columbia) que significa eficiencia, exigencia, asentimiento en la acción de ejecutar una Columbia". Y después, afirma: "Palo Mambo en un toque de raíz africana, raramente oído en la actualidad", y concluye Urfé: "Mambo es el título de un danzón del compositor popular Orestes López".[2]

El compositor y trecero matancero Arsenio Rodríguez, nada sospechoso de teórico, hace algunas precisiones sobre en qué zona de la cultura africana –que Urfé había apuntado antes– se origina la palabra que venimos dilucidando: "Los descendientes de congos tocan una música que se llama tambor de yuca y en la controversia que forman uno y otro cantante, siguiendo el ritmo, me inspiré y esa es la base verdadera del mambo. La palabra mambo es africana, del dialecto congo. Un cantante le dice al otro: «abre cuto gürí mambo», o sea: «abre el oído y oye lo que te voy a decir». La idea me vino porque había que hacer algo para buscarme el conocimiento, y pensé que uniendo estas cosas podría resultar una música extraña para bailar. Lo primero que compuse en este estilo fue «Yo soy kangá»; el primer «diablo» o mambo que se grabó en disco fue *So, caballo*".[3]

Cuarenta años después Dámaso Pérez Prado expresará: "Mambo es una palabra cubana. Se usaba cuando la gente quería decir cómo estaba la situación: si el mambo estaba duro era que la cosa iba mal... Me gustó la palabra... Musicalmente no quiere decir nada, para qué le voy a decir mentira. Es un nombre. Hasta ahí no más". Pero, como hemos visto, las palabras sí tienen un significado, y mambo tiene el suyo: pues mambo llamaban "los músicos a la glosa de cuatro u ocho compases, que se repite en el estribillo de los metales".

Otros opinan que el mambo es un baile "latinoamericano en 2/4 que ha hecho popular desde 1943 el cubano Pérez Prado".[4]

[2] Odilio Urfé: "La verdad sobre el mambo", *Inventario*, La Habana, No. 3, junio de 1948.

[3] Citado por Helio Orovio en: "Arsenio Rodríguez y el son cubano", *Revolución y Cultura*, La Habana, No. 7, julio de 1985.

[4] Mariano Pérez: *Diccionario de la música y los músicos*, Ediciones ISTMO, Madrid, 1985.

Debemos anotar, sin embargo, que para 1943 todavía Pérez Prado no ha salido de Cuba, no ha creado ningún mambo, y ya este autor lo considera muy popular en 1943; y esta otra definición que se sale del ámbito musical: "dicen que es mambo lo único, lo relevante, lo inaudito».

La polémica sobre el origen de la palabra mambo concluye con esta opinión de Odilio Urfé: "el fenómeno musical popular denominado mambo siempre ha existido, solo que con distintos nombres. Una vez se llamó «Guajeo», otra «Montuno» o «Estribillo» y ahora «Mambo». Se ha producido desde los orígenes de nuestra música por ser desde el punto de vista formal de ella, la expresión más primitiva, ya que es la anarquía dentro de un «tiempo» [...]".[5]

Admitamos, por lo pronto, que de todas las definiciones sobre el origen de la palabra mambo, la que más se ajusta a la verdad es la de Arsenio Rodríguez, quien coincide con Urfé en cuanto a su filiación africana, aunque Arsenio precisa que es de origen congo. De paso, diré que la cultura musical conga presenta unas formaciones rítmicas a base de períodos musicales cortos que se corresponden con su forma de baile; por otra parte, su organología es de una gran importancia en la evolución de la música cubana, pues tanto la tumbadora como el bongó son de origen congo.

2

Otro aspecto menos cuestionado del mambo es su característica rítmica. Manuel Cuéllar Vizcaíno plantea por vez primera el problema: "el mambo no es otra cosa que una guajira-son"; a lo que Antonio Arcaño agrega: "es un tipo de montuno sincopado"; y Cuéllar Vizcaíno abunda: "El mambo [...] es un tipo de montuno sincopado que posee la sabrosura rítmica del cubano, su inconformidad y su elocuencia. El pianista ataca en el mambo, la flauta lo oye y se inspira; el violín ejecuta en doble cuerda acordes rítmicos, el bajo le adapta «el tumbao», el güiro rasguea y hace el sonar de las maracas, la indiscutible tumba corrobora el tumbao del bajo y fortalece el timbal [...]". Y en otra parte precisa: el mambo no es más que una guajira-

[5] Odilio Urfé: Op. cit.

son en su parte melódica, protegida por un acompañamiento rítmico poderoso. Es lo que era antes "montuno" o "estribillo", pero con otro vigor.

La base rítmica divide el compás en cuatro tiempos fuertes, formando un ostensible contraste con la melodía del son montuno, constituida por una serie de sincopaciones [...].[6]

Mientras Cuéllar Vizcaíno en su análisis permanece en el marco de la orquesta tipo charanga, Pérez Prado acerca el problema al formato instrumental que ya venía utilizando en sus orquestaciones desde los tiempos de la Casino de la Playa. Al respecto dice: el "Mambo es sincopado, los saxofones llevan la síncopa en todos los motivos, depende de la estructura de la orquesta: si es saxofón o trompeta. La trompeta lleva la melodía y el bajo el acompañamiento, combinado con bongoes y tumba... de esa combinación de música y ritma nace el mambo".[7]

Por otra parte, María Teresa Linares expone: "el bajo sincopado del [...] danzón *Mambo* dio origen, por una parte, al género bailable llamado mambo, creado por Dámaso Pérez Prado, y por otra parte al chachachá, creado por Enrique Jorrín".[8] Importa aquí hacer algunas precisiones: en primer lugar, el bajo en el danzón de nuevo ritmo no es sincopado, sino que hace un tumbao "acompañando la síncopa del ritmo, la tumbadora hace su toque y el timbal da el toque en el cencerro: ahí es donde la flauta le da ánimo al baile. Ese es el secreto del mambo". Por otra parte Pérez Prado sólo tomó del danzón *Mambo* el título; asimismo en el danzón de nuevo tipo no se elimina a los cantantes por motivos de estructura de la orquesta, sino porque estos en determinado momento tuvieron una fama que estaba por encima de la orquesta, y cuando decidían abandonarla, esta sufría una momentánea merma de su popularidad; por tal motivo fue que se decidió suprimir a los cantantes de la charanga de Arcaño y también de otras de la época. Sin embargo, sí podemos considerar al danzón de nuevo ritmo un antecedente inmediato del chachachá, cuya diferencia, entre otras, es la

[6] Manuel Cuéllar Vizcaíno: Op. cit.

[7] Erena Hernández: *La música en persona*, Letras Cubanas, La Habana, 1986, p. 17.

[8] María Teresa Linares: *La música y el pueblo*, Pueblo y Educación, La Habana, 1974, p. 159-160.

inclusión de dos o más cantantes. Mientras que en realidad el mambo no tiene un ritmo característico, sino el cruzamiento de varios.

3

La polémica se agudiza cuando entra en juego definir quién inventó el mambo, pues según Arcaño: "Ya en los mambos de Orestes López la charanga dio un cambio: al final del danzón, Jesús (que a pesar de su gran técnica era muy sonero) hacía un solo de piano y *entregaba* a la orquesta con los golpes, para que entrara yo con la flauta a inspirar, a hacer *floreos*, con el mambo, el timbal solo daba un golpe a tiempo en la campana, no hacía cinquillo sino un movimiento rítmico, por eso introduje la tumbadora".[9] La tumbadora, que Arcaño utiliza con objeto de sustituir el baqueteo del timbal o hacer el acompañamiento, innovación que llama nuevo ritmo, también fue importante instrumento en la transformación de los septetos de son a conjunto, y fue Arsenio Rodríguez quien por vez primera la utiliza en ese formato; en tanto que Chano Pozo la llevó a las bandas de jazz.

Siguiendo el hilo de los acontecimientos, Odilio Urfé afirma que "Antonio Arcaño logró generalizar entre la mayoría de las charangas la costumbre de *hacer* mambo en los últimos tríos de los danzones que se ejecutaban; siendo erróneo lo que se dice, que fue el *creador* de ese estilo. Cierto es que Arcaño y sus músicos en colaboración inconsciente con otras agrupaciones musicales llegaron, debido a la práctica sistemática del uso y abuso del mambo, a *ordenar* su presencia, desarrollo y fin en el danzón de esa época".[10] Y es el propio Urfé quien trata de dar una definición, musicalmente hablando, del mambo: "La palabra mambo se emplea erróneamente, aun por músicos entendidos, al referirse al caso en sí. He podido apreciar pocas veces el hecho musical al cual se le debe llamar correctamente mambo. Para que se produzca el mambo se requiere fundamentalmente que todos, absolutamente todos los que participan en su formación, actúen en forma ajena a lo que tienen escrito. Más claro, que todos deben ejecutar lo que no esté escrito dentro de lo que está

[9] Erena Hernández: Op. cit., p. 48.
[10] Odilio Urfé: Op. cit.

escrito".[11] Por otra parte, para obtener un genuino mambo los instrumentistas deben emplear solamente en el "clímax" o "nudo" efectos rítmicos. Ritmo contra ritmo. Nada de tonada ni melodías definidas. No debe haber ritmo fijo en ningún instrumentista. Anarquía graduada.

Una cosa es un guajeo sincopado que es lo que hacen la mayoría de las orquestas como la de Arcaño, otra cosa es el diablo y otra el mambo. La culminación del verdadero mambo es el *Manzanillo* que ejecuta Joseíto Valdés con su orquesta Ideal, que es donde con más frecuencia se logra el verdadero *mambo*. Valdés ha creado un estilo de ejecutar el mambo en la flauta a base de notas contra notas, muchas veces en un solo compás, guiando a los músicos al hacerlo en sus instrumentos hasta crear esa «anarquía rítmica» [...]".[12]

En 1979, es decir, cuarentaiún años después de lo aquí expuesto, Urfé expondría un criterio que en parte difiere del de 1948: "El danzón mambo escrito en 1935 sobre un motivo sincopado muy usual en los treseros de son para dar comienzo a una interpretación cualquiera, vino a tocarse con cierta frecuencia después de 1939, pero es innegable que su montuno de ondulante balance rítmico estuvo influyendo en la composición de otros danzones creados por los hermanos López".[13]

"Es el danzón *Se va el Matancero* (1949), de Israel López, *Cachao*, contrabajista de la orquesta de Arcaño, el que consagró definitivamente el *ritmo* del mambo como el final de sus danzones, pues López utilizó los elementos melódicos y rítmicos que cada músico de la orquesta había delineado en una admirable conjunción aleatoria, para componer el espectacular trío final en estilo mambo".[14] No menciona ahora el danzón *Manzanillo*,

---

[11] Mario Bauzá llama a este procedimiento "leer de oído".

[12] Odilio Urfé: Op. cit.

[13] Sobre esta fecha hay diferentes criterios. Unos dicen que este danzón se escribió en 1937 y estrenó en 1938; otros dan como fecha de su estreno 1939. Al respecto dice Manuel Villar que fue en 1940, fundamentando su argumento en que ese año se estrenó la canción del compositor norteamericano Jerome Kern *All the things you are*, que Orestes López incluyó en su danzón *Mambo*. Antonio Arcaño, flautista y director de la orquesta donde trabajaba López, sostiene que dicho danzón se estrenó en 1939 y que un año después se le incorporó la canción de Kern.

[14] Odilio Urfé: "Danzón, mambo, cha-cha-cha", *Revolución y Cultura*, No. 77, La Habana, enero de 1979.

de Joseíto Valdés, que antes había dicho que era la "culminación del verdadero mambo".

Según otros investigadores, el mambo es lo que hacía Arsenio Rodríguez, pues las trompetas ejecutaban ocho compases en el montuno y se llamaba *masacote* y se daba un grito: "diablo", de ahí partió según se afirma, Pérez Prado para escribir sus primeros mambos. Pero para el compositor y pianista Juan Bruno Tarraza, el mambo no es más que la combinación de ritmos cubanos y americanos, que se inspira en el *boogie-woogie*; y que se puede tocar un *boowie-woogie* con maracas, bongoes y tumbadora y ya se tiene un ritmo de mambo perfecto, ya que todo el figurado del mambo es sincopado, y sólo se puede tocar por los metales: saxofones, trompetas y trombones, no habiendo lugar para las cuerdas; "el mambo es eternamente cubano y se llamó en un principio bote y después mambo; el mambo es una síntesis del son cubano".

Pero otro, más audaz, dice que cuando Pérez Prado llevó el mambo a Nueva York, lo fundió con la música psicodélica; mientras que Orestes López plantea una diferencia esencial entre el mambo del matancero y el suyo: "El de Pérez Prado es de exhibición, de pista; el mío es de salón, de colectivo".

En realidad el mambo estaba en el ambiente, pues varios músicos cubanos, norteamericanos y puertorriqueños "experimentaban con ritmos, melodías y armonías que luego serían sellos del mambo", pero no todos tuvieron que ver con esos "sellos del mambo". Orestes e Israel López, con la charanga de Arcaño, hicieron un tumbao que sería un ritmo característico de esa orquesta y otras del mismo tipo, mas no con el mambo a lo Pérez Prado; por su parte, Arsenio Rodríguez cambiaba el formato de los septetos de son, pues empleaba piano, tumbadora y tres trompetas, dando nacimiento al conjunto; Bebo Valdés (creador del ritmo batanga), el Niño Rivera, Julio Cueva con su orquesta y, en particular, su pianista René Hernández, quien luego, en Nueva York, introdujo los elementos del mambo (que ya conocía de Pérez Prado), en la orquesta de Machito y sus Afro-Cubans; Chico O'Farril, como orquestador de la Casino de la Playa, labor que compartía con Pérez Prado (que posteriormente pasaría a ser pianista de dicha agrupación) en tanto que las orquestaciones de Pérez Prado ya tomaban un nuevo derrotero:

era el mambo que ya había cuajado en la mente del genial compositor matancero.

Para entonces, Dámaso Pérez Prado se había convertido, por sus audaces orquestaciones, en blanco no sólo de los timoratos empresarios de la industria –si es que se les puede llamar así– del disco, sino también de algunos de los norteamericanos que comercializaban con la música cubana. Así, Rosendo Ruiz Quevedo dice que a mediados de la década del cuarenta visita La Habana, en viaje de trabajo, Fernando Castro, representante de la División Latina de la Southern Musica & Peer International, y que a petición suya "se convoca a un grupo de compositores y orquestadores [...] en las oficinas de la sucursal cubana de la Peer para escuchar la información de la que era portador el señor Castro [...] Después de exponer, dando vueltas y rodeos, algunos puntos de vista de carácter general, Fernando Castro plateó que [...] la música popular cubana estaba siendo adulterada y corría el riesgo de perder sus valores originales. Como causa principal señaló las extravagantes orquestaciones que (muy especialmente en el formato de las orquestas tipo jazz band) venían realizando algunos «arreglistas». Y sin otra aclaración, expresó se había tomado la medida de que «a partir de aquel momento, ningún creador musical adscrito al comercio que él representaba, podía entregar su música a Dámaso Pérez Prado para orquestarla» [...]".[15]

Fernando de Castro olvidó decir, en su "brillante" alegato, que el principal adulterador –cuando no edulcorador– de la música cubana era el catalán Xavier Cugat, quien tomó a manos llenas (y de paso llenó sus bolsillos) la música cubana, la "simplificó" para hacerla comprensible a un público ávido de bailar, aunque no estaba apto para hacerlo al ritmo y en la forma en que le ejecutaban nuestras orquestas. Pero mientras el "insigne" catalán hacía esto, a Pérez Prado se le negaba lo que se le permitía al músico del bisoñé y el perrito, cuando acaso el cubano tenía más derecho y talento para transformar en algo nuevo la materia conocida, tal como había hecho Mario Bauzá en el mismo escenario en que actuaba Cugat; pero esto era un "pecado" que la Peer no estaba dispuesta

---

[15] Rosendo Ruiz Quevedo: "El exilio musical de Pérez Prado", *Clave*, No. 15, La Habana, 1989.

a permitir; sin embargo, la Peer, años después, publica las partituras de las obras de Pérez Prado (simplificadas). Al parecer, ya no eran tan dañinas. Ahora dejaban dinero.

Esta restricción, más algunas incomprensiones del medio musical cubano de la época, determinaron que Pérez Prado buscara otro ambiente que le permitiera desarrollar sus nuevas ideas musicales; México fue el país escogido, al cual llega en octubre de 1949. Ese mismo año graba para la Víctor el disco titulado *José y Macamé*, concebido dentro de una estructura clásica y que, por lo mismo, no surtió el efecto que su autor esperaba; sin embargo, el camino estaba expedito; la grabación de *Mambo No. 5* y *Mambo qué rico el mambo* le abrió las puertas del éxito. De ahí en lo adelante nada lo detendrá: formó su propia orquesta, la que fue solicitada por los mejores clubes nocturnos de México; además, actuó en teatros y revistas, en el cine; la R. C. A. vendió miles de discos con mambos y el nuevo ritmo ya comenzaba a ser solicitado por otros países de América Latina y Estados Unidos. Tongolele ("El futuro está en el mambo: Tongolele debe ser ministro", dice Lisandro Otero en *La situación*) y Pérez Prado coparon el interés del público mexicano, y sus espectáculos eran cada vez más concurridos; mientras, Ninón Sevilla hacía las primeras figuras coreográficas del nuevo ritmo.

Los que acusaron al mambo de ser una "música salvaje" o sólo digna de "arranques caníbales", olvidaron las cualidades más importantes de la música de mambo en su modernidad, donde Pérez Prado puso en juego toda su originalidad como orquestador y compositor, y que organizó una orquesta con músicos de indudable calidad. No por casualidad un musicólogo tan conocedor de los adelantos técnicos y del rumbo de la estética de la música como Alejo Carpentier, dice en 1951:

Soy partidario del mambo, en cuanto este género nuevo actuará sobre la música bailable cubana como un revulsivo, obligándola a tomar nuevos caminos. Creo, además, como esos otros mambistas convencidos, que son Sergiu Celibidache, Tony de Blis, Abel Vallmitjans y otros, que el mambo presenta algunos rasgos muy dignos de ser tomados en consideración: 1. Es la primera vez que un género de música bailable se vale de procedimientos armónicos que eran, hasta hace poco, el monopolio de compositores calificados de "modernos" –y que por lo mismo asustaban a un gran sector del público. 2. Hay mambos detestables, pero los hay de una invención extraordinaria, tanto desde el punto de vista instrumental como desde el punto de vista melódico. 3. Pérez Prado, como pianista de baile, tiene un raro sentido de la variación, rompiendo con esto el aburrido mecanismo de repeticiones y estribillos que tanto contribuyó a encartonar ciertos géneros bailables antillanos. 4. Todas las audacias de los ejecutantes norteamericanos de jazz, han sido dejadas atrás por lo que Celibidache llama "el más extraordinario género de música bailable de este tiempo".[16]

Tampoco es casualidad que músicos tan bien dotados como Stan Kenton, Dizzy Gillespie y Artie Shaw, dieran sus aplausos al mambo y a su creador.

En otro orden de cosas, siempre que se habla de las influencias de Pérez Prado como compositor y orquestador, se menciona a Stan Keton, aunque casi nunca se profundiza en el tema. Es indudable que cuando Keton graba en 1947 *El manisero*, de Moisés Simons, hace una orquestación que:

[...] tiene sus disonancias –de segundas menores proyectadas en el registro agudo de las trompetas– todas las características del mambo que Pérez Prado emplearía en los suyos antes y después de consagrado su ritmo a nivel internacional. Observamos, sin embargo, con Marshall W. Steams, que el "parecido [...] es superficial". En los arreglos de Prado, la sección de metales de seis hombres realiza prodigiosas hazañas con el ritmo, la armonía y la melodía, mientras los saxofones quedan más o menos en segundo término –o sea, lo contrario del procedimiento usual en el jazz. Prado completa la actuación con un semigruñido, semigrito ocasional [...] La combinación es dramática y precisa, pero sin la palpitante pulsación de (Tito) Puente o la bien asimilada mezcla de Machito".[17]

---

[16] Alejo Carpentier: *Entrevista*, Letras Cubanas, La Habana, 1985, p. 34.

[17] Marshall W. Stearns: *La historia del jazz*, Editorial Nacional de Cuba, La Habana, 1966, p. 223. Para una información más amplia sobre la influencia de la música cubana en la de los Estados Unidos, véase: Vernon Boggs. "Rhythm N´Blues American Pop and Salsa: Musical Transculturation", *Latin Beat* (Nueva York), No. 1, febrero de 1992.

Pero como el mambo parece surgió para la polémica, Leonardo Acosta expone un punto de vista que difiere del planteado por Stearns.

Se ha dicho hasta la saciedad que Pérez Prado logró su peculiar estilo basándose en los ritmos cubanos y en el formato y orquestaciones (o arreglos) tomados del jazz, en particular de la banda de Stan Kenton. Este esquema difundido hasta por los más sagaces críticos e historiadores del jazz y repetido por los cubanos [...] es cierto sólo en parte y nos impide ver los auténticos logros del gran músico matancero. Porque a su modo de orquestar, Pérez Prado procedía en esencia de manera opuesta a la de Stan Kenton y sus arreglistas. Precisamente en los momentos en que Kenton aumenta su sección de trombones a cuatro y luego a cinco, el cubano emplea un solo trombón que utiliza para efectos como pedales, acentuaciones rítmicas o "gruñidos". La sección de trompetas de Dámaso sí llegó a cinco (al igual que Kenton, Woody Hernan y otros), pero emplea mucho más los pasajes en unísonos, estableciendo un constante contrapunteo con los saxofones [...] A su vez la sección de saxos resulta disminuida por Dámaso de cinco a cuatro (elimina un saxo tenor), ya que la cuerda de saxofones es empleada por Pérez Prado casi siempre al unísono y con el registro grave, salvo en casos aislados como el solo de saxo alto en *Mambo en sax* o el dúo de altos de *La chula linda*. Y el fraseo de trompetas y saxos responde a la polirritmia que establecen la percusión, el contrabajo y el piano. En resumen que frente a la tendencia de los orquestadores de jazz de empastar cada vez más el sonido de lavanda, que llegó a fundir instrumentos de distintas secciones en muchos pasajes (tendencia que culmina en Gil Evans a fines de los cincuenta), Pérez Prado establece diferentes planos sonoros con dos registros básicos: uno agudo con las trompetas y otro grave con los saxos, ambos en constante contrapunteo con una función más melódico-rítmico que melódico armónico.[18]

[18] Leonardo Acosta: "Reajustes, aclaraciones y criterios sobre Dámaso Pérez Prado", *Bohemia*, La Habana, 29 de septiembre de 1989.

A su manera, la tradición latina se impuso en el Nueva York de la década del cuarenta; las bandas afrocubanas ganaron popularidad y ello coadyugó a que el mambo se impusiera con cierta celeridad. Fue Mario Bauzá quien consolidó la fusión de nuestra música con el jazz, en tanto que René Hernández, pianista y orquestador de la orquesta de Machito (Afro-Cubans) quien llevó los elementos del mambo a dicha banda, cuyo director era Bauzá. Mientras tanto, Chano Pozo fundía su tumbadora con la banda de Dizzy Gillespie en memorable concierto en el Town Hall de Nueva York. A partir de entonces, el jazz tomaría nuevos rumbos a la vez que su influencia se hacía en Cuba.

Cuando Pérez Prado llega a Nueva York, en 1952, el camino estaba expedito para que el mambo se impusiera en esa ciudad; así, los miércoles del Palladium se convirtieron en una fiestas para los gustadores del nuevo ritmo. Allí participaron Pupi Campo, Eddi Crabiá con sus Afro–Cubans, el pianista puertorriqueño Noro Morales y también los boricuas Tito Puente (lo llamaban El Chico del Mambo) y Tito Rodríguez, y otro cubano: Gilberto Valdés; todos, de alguna manera, hacían mambo.

Tal fue el arraigo de este género en Nueva York que en 1953 el pianista y orquestador cubano, Joe Loco, organizó una gira que abarcó las principales ciudades de los Estados Unidos, a la que denominó Mambo-USA; esto lo repitió en 1954, esta vez participó un mayor número de músicos: Machito y su Afro-Cubans, Tito Rodríguez, Damirón, Facundo Rivero, César Concepción...

No escaparon a la "fiebre" del mambo músicos norteamericanos como Perry Como, Rosemary Clonney, Les Brown, Charlie Parker, Stan Kenton, Woody Herman, Billy Taylor, Art Pepper, Sonny Rollins, Errol Garner, Carl Tjader, Shorty Rogers, Howard Rumsey, Cont Basie, Dizzy Gillespie y otros.[19] De igual modo, el mambo se fue imponiendo en el gusto de otros pueblos: europeos y asiáticos, y fueron frecuentes las actuaciones y grabaciones de Pérez Prado en muchas ciudades de Europa, cuando ya era un ídolo en Japón.

---

[19] Una lista más completa de los compositores norteamericanos que compusieron mambos puede leerse en el artículo de Vernon Boggs citado en la nota 17.

De lo hasta aquí expuesto algunas conclusiones debemos sacar: el género musical llamado mambo fue creado por Dámaso Pérez Prado, pues este sólo tomó del mambo de los hermanos López –como había hecho Pepe Sánchez con el bolero español– el nombre, pero en realidad hizo otra cosas. Por lo mismo, ni el danzón *Mambo* ni otras formas de mambear de la orquesta de Arcaño y otras, se constituyen, desde el punto de vista musical y danzario, en una antecedente del mambo de Pérez Prado; más le debe el chachachá al danzón de nuevo ritmo que el mambo, pues este, más que el resultado de una evolución de la música cubana, fue una revolución.

En realidad, el mambo tiene más elementos del son que del danzón, y fue Arsenio Rodríguez el músico que más influyó en su surgimiento; pero si como este dijo, el mambo procedía de las fuentes rituales congas –algo que ya había apuntado Fernando Ortiz–, "toda la savia de su autenticidad" se refleja en lo que este hacía con su tres. Pero si bien esto antecedentes están correctamente plateados "en su novedad", el mambo tomará posteriormente unas características que no son las que han expuesto sus antecesores porque estos están demasiado apegados a sus fuentes folklóricas, lo que determinó que Arsenio Rodríguez se quedara en el "umbral de lo que en el 46 será «mambo a lo Pérez Prado», sin dejar de transmutarse en posteriores estudios". Lo dicho, sin embargo, no debe hacernos olvidar que Arsenio en el tres e Israel Cachao López con su contrabajo, aportaron la "patente de aquel tumbao que en el ritmo cruzado del cencerro prolonga su toque a dos compases que los otros han resuelto en uno y se escuchaba un mambo" [...][20]

Hoy, a la vuelta de más de cuatro décadas, el mambo "regresa", pues en menos de un lustro han aparecido una novela (*Los reyes del mambo tocan canciones de amor*, de Oscar Hijuelos) y un filme (*Los reyes del mambo*, basado en la misma novela) donde actúan los artistas más populares del mundo latino de Nueva York. ¿Volverá el mambo a imponerse en el público neoyorquino y de otras partes del mundo? Tal parece que sí, pues en realidad nunca dejó de tocarse y bailarse mambo, sólo que este género se "refugió" en clubes nocturnos de México y otros

[20] Natalio Galán: *Cuba y sus sones*, Pre-Textos/ Música, Valencia, 1983, p. 343.

países, pues su difusión en otros medios era cada vez más esporádica.[21] Sin embargo, la bien ganada fama de Dámaso Pérez Prado la mantuvo hasta los últimos momentos de su vida. El mambo regresa, y todo parece indicar que la salsa no será "su última y más sexy expresión".

Publicado en *La Gaceta de Cuba*, noviembre-diciembre de 1992, pp. 13-17.

---

[21] Aunque no comparo su punto de vista, una exposición de cómo debe bailarse el mambo aparece en el artículo de Dennis Simmons: "Mambo versus salsa", *Latin Beat*, No. 10, Nueva York, noviembre de 1991.

LOS MAMBOS DE PÉREZ PRADO

Alejo Carpentier

Al hablarse del mambo, conviene no mezclar o confundir la música de bailes, fruto de la vida urbana, con el folklore. Nada tienen que ver ambas cosas. La música de baile de las ciudades no es un puro brote de la inspiración popular, como lo son, por ejemplo, la canción del campesino, la danza regional, el galeón, etcétera. Es el producto de lo que, en todos tiempos, se llamó "la vida moderna" –como lo fue el vals en el Romanticismo, el ragtime de comienzos del presente siglo–, y como tal merece que se le considere con alguna atención.

No es nuevo, además, el hecho de que todo género nuevo de música bailable sea calificado de "frenético", "estrepitoso", "desquisiado", etcétera. El vals fue considerado, en el momento de su aparición, como un baile inmoral, indigno de ser bailado por una señorita recatada. Cervantes habló de la "diabólica zarabanda" recién venida de Indias, etcétera.

El hecho es que la música de baile cubana estaba sufriendo, desde hace años, una evidente decadencia. No conozco nada más monótono, más trivial, más tonto, que las inacabables guarachas –tan vacías las unas como las otras– que han invadido el mundo en esta última década. ¡La guaracha, género que ha dado a La Habana del siglo XIX unas pequeñas maravillas de gracia criolla, de buen humor, de ingenio, se ha vuelto una cosa sin carácter ni interés!

Soy partidario del mambo, en cuanto este género nuevo actuará sobre la música bailable cubana como un revulsivo, obligándola a tomar nuevos caminos. Creo, además, como esos otros mambistas convencidos, que son Sergiu Celibidache, Tony de Blois, Abel Vallmitjans y otros, que el mambo presenta algunos rasgos muy dignos de ser tomados en consideración:

1. Es la primera vez que un género de música bailable se vale de procedimientos armónicos que eran, hasta hace poco, el monopolio de los compositores calificados de "modernos" –y que, por lo mismo, asustaban a un gran sector público.

2. Hay mambos detestables, pero los hay de una invención extraordinaria, tanto desde el punto de vista instrumental como desde el punto de vista melódico.

3. Pérez Prado, como pianista de baile, tiene un raro sentido de la variación, rompiendo con esto el aburrido mecanismo de repeticiones y estribillos que tanto contribuyó a encartonar ciertos géneros bailables antillanos.

4. Todas las audacias de los ejecutantes norteamericanos de jazz, han sido dejadas muy atrás por lo que Celibidache llama "el más extraordinario género de música bailable de este tiempo".

Tomado de Alejo Carpentier: *Entrevistas*, Letras Cubanas, La Habana, 1985.

Este texto fue publicado originalmente en *El Nacional*, Caracas, el 24 de febrero de 1951. Es la respuesta a un cuestionario de Carlos Dorarte a nueve intelectuales, que opinaron sobre los mambos de Pérez Prado.

Mambo
DE NUEVA YORK

Gabriel García Márquez

El serio y bien vestido Dámaso Pérez Prado (como lo lee, mi querido doctor A.G.R.) está desempacando en Nueva York, un cargamento inverosímil. Su equipaje debe ser más voluminoso que el de cualquier estrella de cine en viaje de propaganda a Europa, puesto que consta, además de las maletas, los sacos que arrastran por detrás de la banqueta del piano y los enormes zapatos amarillos, de una docena de músicos bien alimentados. Todo eso sin contar con el prestigio adquirido por el maestro a través de sus cuarenta y dos mambos, que no pagan impuesto de aduana, pero que debe ofrecer serias dificultades para ser transportado a Nueva York en una sola carretada.

Se trata de un asalto a mano armada, por la vía legal y con pasaporte en regla, que antes de lo que muchos pueden suponer habrá hecho estragos en los Estados Unidos. Dámaso Pérez Prado sabe que así será y por ese motivo debió mostrar esa expresión optimista y segura que sorprendieron en su rostro los fotógrafos de la prensa a su llegada a Nueva York. En esta ocasión el maestro se permitió una sonrisa que no parece estar reservada sino para las circunstancias excepcionales, puesto que hasta hoy era desconocida en él, al menos para quienes lo admiramos a prudentísima distancia.

No resulta difícil adelantar suposiciones acerca de lo que sucederá en Nueva York con el maestro Pérez Prado. Como en todas las cosas encontrará adictos y adversarios. Pero creo que en este caso tanto las simpatías como las antipatías girarán exclusivamente en torno a un solo punto: el origen del mambo.

El maestro ha tomado sus precauciones en relación con el indudable parentesco que existe entre el mambo y la música de Harlem. Los autores de esta última se han permitido toda clase de libertades con los grandes maestros y han puesto a Beethoven, a Bach, a Chaikovski en ritmo de jazz. Pérez Prado, para ser más breve y cortante, ha hecho algo que corre el peligro de ser todo lo contrario: ha puesto algunas famosas piezas de jazz en ritmo de mambo.

Tácitamente está de hecho planteada la controversia. Desde luego que los norteamericanos corrientes se preocuparán muy poco de quién viene de quién, y por qué conductos. Ellos se limitarán a descubrir que el baile del mambo les resulta mucho menos complicado que todos los aires tropicales que se han arriesgado a remontar el decisivo paralelo de Manhattan. Advertirán, sin preocuparse por los orígenes de la coincidencia, que los saxofones de Pérez Prado se permitan ciertos retozos muy parecidos a los malabarismos excéntricos de los sótanos de Harlem. Y las muchachas norteamericanas, al abandonar la universidad, en las cálidas tardes del próximo verano, advertirán que hay en la Coca-Cola, el blue jeans y los zapatos bajos, algo que tiene una particular tendencia de adaptación con las endiabladas cataplasmas musicales de Pérez Prado.

El otro sector de los académicos que se empeñen en decir que el mambo es un hijo natural extraterritorializado de los ritmos de Harlem, provocarán pequeños terremotos periodísticos, y hasta es posible que consideren al maestro como un indeseable advenedizo del jazz.

Pero no será la primera vez que se lo digan a Pérez Prado. Ni la última. Y él, tan serio y bien vestido como de costumbre, se asomará a su ventana del Waldorf Astoria o a las azoteas del Empire State, a escuchar con atención el crecimiento de los rascacielos menores y el rumor de esa multitud que en la Quinta Avenida y Wall Street no parece tener otra misión que la de tropezar. Entonces, Dámaso Pérez Prado, concienzuda y premeditadamente, prepara la más suculenta y audaz de cuantas cataplasmas se le han ocurrido en su vida. *Mambo de Nueva York.*

Y todos los norteamericanos, los que lo admiran y los que le repudian, conservarán un recuerdo perdurable del maestro en el estridente *Mambo de Nueva York*, sin saber a ciencia cierta si se trata de un homenaje o de una venganza.

Tomado de Gabriel García Márquez: *La soledad de América Latina*, Arte y Literatura, La Habana, 1990.
Publicado originalmente en *El Heraldo*, Barranquilla, 17 de abril de 1951.

DÁMASO PÉREZ PRADO SU MAMBO EN EL CINE

Erick Estrada

Dámaso Pérez Prado murió en la Ciudad de México un 14 de septiembre de 1989. En una entrevista que concedió a Ralph J. Gleason Dámaso Pérez Prado, *el rey del Mambo*, describió así al ritmo al que llevó por todo el mundo: "El mambo es un ritmo afrocubano con toques de swing estadounidense. Es más musical y con más pulso que la rumba. Colecciono ruidos y gritos, desde el canto de las gaviotas en el muelle hasta el sonido del viento a través de los árboles y de los hombres trabajando en una fábrica. El mambo es un movimiento de retorno a la naturaleza a través de ritmos basados en esos gritos y ruidos y en placeres sencillos".

Ese mambo, ese llamado de regreso a la naturaleza con toques de swing (la modernidad encerrada en contratiempos y alientos puntiagudos) es el ritmo que acompaña a Ninón Sevilla en una dramática secuencia de *Víctimas del pecado* (México, 1951) dirigida por Emilio *Indio* Fernández, una película de ambientes *noir* en la que el personaje de Ninón Sevilla tiene que bailar alegre y a tiempo mientras el niño huérfano al que cuida la espera desconsolado en el camerino. Ella desea que "su pachuco" no lo encuentre o las consecuencias pueden ser fatales.

Víctimas del pecado fue el siguiente drama meramente urbano de "el Indio" después de la fenomenal *Salón México* (México, 1949) y si bien contaba como en aquella con Gabriel Figueroa para la fotografía del proyecto, decidió deshacerse del danzón que engalanaba esa casi trágica narración para darle a su nueva película otros ritmos, entre ellos el mambo de Pérez Prado. Es a él a quien vemos dirigiendo la orquesta del club nocturno *Changoo* mientras Ninón Sevilla canta sonriente pero desconsolada el mambo *Cocaleca*.

¿A qué se debió ese cambio? Los aires de modernidad recorrían México y el cine era en parte el encargado de comunicarlo. Las comedias y los dramas rancheros (impulsados por la idea de mexicanidad conveniente al sistema de esos años) se habían vuelto completamente obsoletos, pasados de moda, demasiado locales (incluso dentro de México) como para seguir la corriente de un país que tras la Segunda Guerra Mundial se abría al mundo.

Las ciudades (ya no los ranchos ni las haciendas) crecían, el país se modernizaba, la población migraba, las noches se alargaban y los mariachis y su propuesta no encajaban ya ni en la vida de las ciudades ni en lo que las películas narraban.

En las ciudades los jóvenes comenzaban a abrirse camino y demandaban ritmos más "salvajes", "presurosos", "modernos", mucho más sensuales y entre ellos estaba el mambo. El cine, la enorme lupa que registra la vida de los países en que se genera, recogía ya los dramas e historias urbanas como *Salón México* y *Víctimas del pecado* y los adornaba con esos ritmos juveniles primero cumpliendo su misión y después buscando que esos jóvenes entraran a los cines a ver esas historias.

Dámaso Pérez Prado, co inventor del mambo al lado de Arsenio Rodríguez y Cachao, estaba listo en México para adornar a las películas con música que pedía un regreso a la naturaleza y que registraba los ruidos tanto de los muelles como de los hombres en las fábricas, sazonados con la modernidad jazzística del swing. Ahí, entre esa contracultura incipiente (subrayo, se trataba de un ritmo salvaje y juvenil) y una necesidad de México de universalizarse, es que el cine se deshizo de la rigidez, lo monolítico y arcaico de las películas rancheras y sus mariachis y entró a sus nuevos terrenos con una música que hoy, curiosamente, representa más a México (o por lo menos al mismo nivel) que el mariachi.

Entre las películas que Pérez Prado barnizó con mambo (su carrera es escandalosamente prolífica, de ahí que a veces se viera forzado a no bautizar sus canciones sino simplemente a numerarlas) y que se realizaron en México están:

Coqueta (México, 1949), de Fernando A. Rivero, y en la que se escucha *Maravillosa*.

Los apuros de mi ahijada (México, 1951), de Fernando Méndez y en la que se escucha el famosísimo *Mambo No. 8*.

El suavecito (México, 1951) también de Fernando Méndez y en la que se escucha el no menos famoso *Mambo No. 5*.

Del can-can al mambo (México, 1952), de Chano Urueta y en la que llueven *Qué rico mambo*, *Mambo en sax*, *Chula linda*, *Mambo Baklan*, *Mambo latino* y *Muchachita*.

México nunca duerme (México, 1959), de don Alejandro Galindo y en la que se escucha *Caballo negro*.

Una calle entre tú y yo (México, 1952), de Roberto Rodríguez y en la que se escucha el también famosísimo *Mambo Politécnico*.

¿Era el mambo parte de esa música verdaderamente universal que México necesitaba, independientemente de que su Rey (Pérez Prado) era ya la imagen de un hombre moderno, migrante cubano asentado en la Ciudad de México? La respuesta está, muy probablemente, en la gigantesca lista de producciones no mexicanas que usaron al ritmo para sus historias, a veces para comunicar ese toque de moderna tropicalidad urbana del México de esos años, otras para simplemente ambientar la idea de lo latino moderno, prescindir de las castañuelas y conceder un *Concierto para Bongo*.

Entre esas películas que desde esos momentos registraron la existencia del mambo y su importancia y entre esos mambos que llevaron el sonido de buena parte de las noches urbanas mexicanas al mundo tenemos a:

Cha-Cha-Cha Boom! (EUA, 1956), de Fred F. Sears en la que Pérez Prado se interpreta a sí mismo en una situación inverosímil pero que le permitió musicalizar buena parte de la película con su Cha-Cha-Cha Orchestra.

The Brave Bulls (EUA, 1951), de Robert Rossen y en la que suena el *Mambo No. 5*.

La Dolce Vita (Italia-Francia, 1960), del mismísimo Federico Fellini en donde un desesperado Marcello Mastroiani es fondeado de varias formas con el mambo *Patricia*.

Más recientemente los mambos de Pérez Prado pueden ser escuchados en películas de directores más que importantes:

Santa Sangre (México-Italia, 1989), de Alejandro Jodorowsky.

Grandes bolas de fuego (EUA, 1989), de Jim McBride.

Nacido el 4 de julio (EUA, 1989), de Oliver Stone.

Kika (España-Francia, 1993), de Pedro Almodóvar.

Ed Wood (EUA, 1994), de Tim Burton.

Casino (EUA-Francia, 1995), de Martin Scorsese.
Small Time Crooks (EUA, 2000), de Woody Allen.
Space Cowboys (EUA-Australia, 2000), de Clint Eastwood.
El curioso caso de Benjamin Button (EUA, 2008), de David Fincher en donde se escucha el elegante y extravagante mambo *Skokiaan*.

En varias de las películas mencionadas el mambo se usa como elemento narrativo, pero también como pequeño vehículo en el que se nos hace viajar al pasado, a los años cincuenta y sesenta en que floreció por completo en México y en los que México comenzó una transformación poderosa, a veces exitosa, otras no tanto. Lo claro es que la música que sella esa época y esos sentimientos tiene mucho (aquí la prueba) de los sonidos y las canciones creadas por el genial Dámaso Pérez Prado.

Tomado de la revista digital mexicana *Cinegarage*.

QUÉ RICO EL MAMBO

Gustavo Pérez Firmat

Hace un tiempo mi hijo, que sabía que yo había estado leyendo la novela de Oscar Hijuelos, *The Mambo Kings Play Songs of Love* (1991), trajo a casa un póster de los Simpson con la siguiente inscripción: "¡A bailar el mambo!". Días después me enseñó un folleto según el cual uno de los pasatiempos favoritos de Homer Simpson, además de ir a la bolera, jugar a las cartas con Bart y comer chicharrones, es bailar mambo. Homer no está solo en su afición por este baile. En la película *Dirty Dancing* (1987), que tiene como escenario los centros turísticos de las montañas Catskills, muy frecuentados durante los años cincuenta, Patrick Swayze interpreta a un profesor de baile que le enseña a Jennifer Grey cómo se baila el *Mambo de Johnny*. Un año antes el tema musical de otra exitosa cinta, *Something Wild* (1986), dirigida por Jonathan Demme, había sido el mambo *Loco de amor*, de David Byrne y Johnny Pacheco, interpretado por Byrne y Celia Cruz. En el disco *Swing Street* (1987), Barry Manilow y Kid Creole se suman a la nueva moda del mambo con un número titulado *Hey, Mambo*.

En los últimos años, la palabra, cuando no la música, aparece por todas partes: en el show en Broadway del actor colombiano John Leguizamo, *Mambo Mouth*; en el título del disco *Representing the Mambo* (1990), del grupo sureño de rock Little Feat; en las novelas *Mambo* (1990), de Campbell Armstrong, y *Memory Mambo* (1996), de la escritora cubanoamericana, Achy Obejas; en el libro de poemas de Sandra María Esteves, *Bluestown*

Mockingbird Mambo (1990); en el reciclado *Mambo No. 5* (1999), de Lou Bega; en la película *Mad for Mambo* (2000). Hay además un Café Mambo en Los Ángeles, un Club Mambo en Miami, un Discos Mambo en Nueva York y una actriz de películas porno que se hace llamar por el eufónico nombre de Myrle Mambo. Hasta un periodista de Chapel Hill, Carolina del Norte, en donde vivo, titula su columna (¡sobre los biorritmos!), "Radio Mambo".

Al igual que Ricky Ricardo, el mambo ilustra aspectos significativos de la cultura cubanoamericana. Como Ricky, no es menos americano que cubano, y nunca fue tan popular en su suelo natal como lo ha sido en los Estados Unidos. Además, comparte las señas de identidad de la generación del medio: nació en Cuba pero alcanzó su madurez, su forma definitiva, en Estados Unidos. A diferencia de la conga o la rumba, el mambo no es un producto "importado" a Estados Unidos, pues surgió de la mezcla de la música cubana y la norteamericana. En cuanto creación híbrida, siempre ha sido cubanoamericano.

En un breve ensayo de 1971, el novelista cubano Alejo Carpentier describía la música cubana como una "música resistente a todas las influencias extranjeras que –con algún derecho debido a la misma fuerza de corrientes exteriores– hubiesen podido desalojarla de su ámbito propio.[1] Resulta difícil referir semejante definición al mambo. Receptivo en vez de resistente, el mambo tiende a borrar las fronteras entre lo extranjero y lo nacional. ¿Cuál es la influencia "extranjera" en el mambo? ¿La percusión afrocubana o las orquestaciones inspiradas en el jazz? Ambas son igualmente responsables de su contextura. ¿Cuál es el "ámbito propio" de esta música? ¿La Habana, Ciudad México o Nueva York? Si bien sus raíces son cubanas, el sonido característico del mambo surgió en contacto con la música norteamericana y su difusión en América Latina y Estados Unidos tuvo lugar a partir de grabaciones realizadas en Ciudad México. La singularidad del mambo –su agitado tempo, su coreografía convulsiva, sus estridencias y disonancias– expresa una apretada aglutinación de diversas tradiciones musicales. No por casualidad el título en inglés de *Qué rico mambo* es *Mambo Jambo*, vocablos inventados a partir de la frase *mumbo jumbo*, una mescolanza ininteligible de palabras. El mambo es, de hecho,

[1] "La música popular cubana", en *Signos*, 2, No. 3, mayo-agosto, 1971, p. 12.

una mezcolanza, una jerigonza engendrada por el encuentro de lo de lo ajeno con lo propio. Fernando Ortiz lo describía acertadamente como "estofado de sonoridades", explicando que las "impurezas" del mambo no socavaban su cubanidad, ya que la cultura cubana misma nace de la transculturación de ingredientes foráneos.[2] Si el mambo es un estofado, Cuba es un ajiaco; y ¿quién dice que un estofado es menos cubano que un ajiaco?

Las palabras de Ortiz suponen una postura diferente a la de Carpentier, quien se expresa como si la cultura de la isla tuviera una dirección fija, un domicilio permanente, un "ámbito propio" del que no debe moverse. Para el autor de *La música en Cuba*, desalojar es desarraigar, arrancar algo de su hábitat natural. Desde luego, ese "ámbito propio" no es otro que Cuba como entidad geográfica. Pero ya sabemos que Cuba es una de las islas menos insulares de la tierra, y resulta cuando menos curioso que la afirmación de Carpentier fuera escrita en 1971, después de que se produjera un éxodo sin precedentes en la historia de la isla. El mambo, concebido en Cuba, criado en México y difundido en Estados Unidos, es un hijo del monte que ha pasado la mayor parte de su vida lejos de su cuna. Es una música nómada, excéntrica, con ambiente pero sin ámbito. En inglés, el nombre mismo denota exceso, ausencia de decoro; un individuo ruidoso y deslenguado es un *mambo mouth*. Como veremos, la falta de propiedad del mambo a veces hasta raya en el improperio, el desmán ofensivo o vulgar.

En este libro adopto un punto de vista sobre la cultura cubana que destaca más su nomadismo que su instinto sedentario. Como ya he dicho, no veo incompatibilidad entre la vida en vilo y la condición cubana. Tal vez el camino de lo cubano a lo *Cuban-American* no sea fácil de transitar, pero tampoco está sembrado de obstáculos insalvables. Los cubanos, vale la pena decirlo, siempre hemos sido hombres híbridos y mujeres múltiples. Entiendo que algunos, preocupados por el peligro de la asimilación, de la pérdida de sus "raíces", se inquieten ante tales aseveraciones. Pero el mambo no es raíz sino compás; nos ubica, pero no nos planta. Música del vilo, el mambo se hace en el aire.

---

[2] Fernando Ortiz, *Los bailes y el teatro de los negros en el folklore de Cuba*, Publicaciones del Ministerio de Educación, La Habana, 1951, p. 80.

***

Aunque el mambo no se puso de moda en Estados Unidos hasta los años cincuenta, sus orígenes son mucho más antiguos. La palabra proviene de ritos congos en los que designa el momento final de una ceremonia para posesionarse del espíritu de los muertos. Después de establecer contacto con el espíritu, el oficiante acompaña el acto de posesión por cantos denominados "mambo" o "mambu". De ahí que la palabra originalmente denotara "conversación" o "mensaje". Según Fernando Ortiz, el mambo constituía un "final agudo", un enérgico floreo litúrgico que sellaba el pacto entre los vivos y los muertos.[3] En los años treinta la palabra adquiere un significado laico. Por esa época el danzón, un género instrumental creado en 1879 por Miguel Faílde, incluía un segmento improvisado al final de la pieza que permitía que tanto músicos como bailadores hicieran gala de su talento. Ese colofón musical llegó a conocerse con el nombre de "mambo"; y aunque no ha quedado claro quién utilizó por primera vez la palabra en este sentido, en 1938, cuando Orestes López compuso un danzón titulado *Mambo*, ya el significado laico del término estaba firmemente establecido.[4]

---

[3] Fernando Ortiz: *La africanía de la música folklórica de Cuba*, Publicaciones del Ministerio de Educación, La Habana, 1950, pp. 232-233, 241. Ver también Lydia Cabrera: *El Monte*, Ediciones C. R., La Habana, 1954, p. 127; y Robert Farris Thompson: *Flash of the Spirit*, Random House, Nueva York, 1982, pp. 110-111. A pesar de que se ha escrito mucho sobre el mambo, no existe un estudio completo sobre el tema. Robert Farris Thompson lleva tiempo anunciando un libro que, sin duda, será el análisis más profundo y riguroso del mambo. La mejor introducción panorámica en inglés puede encontrarse en el imprescindible libro de John Storm Roberts: *The Latin Tinge*, Oxford University Press, Nueva York, 1979 (2da edición, 1999). También es útil el ensayo de Isabelle Leymarie, «Salsa and Latin Jazz», en *Hot Sauces: Latin and Caribbean Pop*, Nueva York, 1985, pp. 95-115. En español existen varios estudios de la música popular cubana: Cristóbal Díaz Ayala: *Música cubana del Areyto a la Nueva Trova*, Editorial Cubanacán, San Juan, Puerto Rico, 1981; Natalio Galán: *Cuba y sus sones*, Pre-Textos, Valencia, 1983; Elena Pérez Sanjurjo: *Historia de la música cubana*, La Moderna Poesía, Miami, 1986; Tony Evora: *Orígenes de la música cubana: Los amores de las cuerdas y el tambor*, Alianza, Madrid, 1997. Un valioso dossier de entrevistas y ensayos relativos al mambo es Radamés Giro (ed.), *El mambo*, Editorial Letras Cubana, La Habana, 1993.

[4] Aunque Natalio Galán atribuye esta composición a Cachao, el hermano de Orestes López, todo parece indicar que se debe a su hermano. En una entrevista que le hice a Cachao en agosto de 1990, el músico confirmaba que no había sido él, sino su hermano, quien había compuesto *Mambo*. Odilio Urfé señala 1935 como el año de su creación, aunque añade que la pieza no fue

Tanto Orestes como su hermano Israel (el legendario bajista conocido como Cachao) pertenecían a la orquesta de Antonio Arcaño, Arcaño y sus Maravillas, una popular agrupación cuya divisa rezaba, "un as en cada instrumento y una maravilla en conjunto". Arcaño, que había ampliado el formato tradicional de la charanga (cuerdas, flauta y timbales) añadiéndole una tumbadora y el cencerro, llamaba "danzones de nuevo ritmo" a *Mambo* y composiciones afines. Cuando otras orquestas, entre ellas la de Arsenio Rodríguez, comenzaron a interpretar este danzón renovado, el término "mambo" se difundió cada vez más. Cuenta el Rolando Laserie, quien debutó como percusionista en la orquesta de Rodríguez, que este solía darle la entrada a las trompetas con el grito de "¡mambo! ¡mambo!":

"La primera persona a la que yo le oí decir la palabra «mambo» fue a Arsenio Rodríguez. Arsenio se ponía a tocar y en cierto momento durante la pieza miraba hacia atrás y les decía a los dos trompetas «¡mambo! ¡mambo!». Y entonces los trompetas se ponían de acuerdo y salía la primera frase, que es lo que llaman diablo y después mambo. El mambo o diablo es una inspiración natural sin arreglo ninguno".[5]

Por varios años el término mambo se usó exclusivamente para designar el segmento final de estas composiciones. Así estaban las cosas en 1948 cuando la revista *Bohemia* publicó un extenso artículo de Manuel Cuéllar Vizcaíno, "La revolución del mambo", quizá el primer análisis serio del tema. Para Cuéllar Vizcaíno, el mambo era únicamente una forma novedosa de interpretar y bailar el danzón, distinguida por su nivel de improvisación:

interpretada hasta 1939 («Danzón, mambo y chachachá», en *Revolución y Cultura*, 77, enero de 1979, p. 57). Ver también, "Arcaño y Sus Maravillas", de Rosa Ileana Boudet, en *Revolución y Cultura*, 25, septiembre de 1974, pp. 33-35. Aunque Cachao es un importante compositor y arreglista (conocido sobre todo por las "descargas" que grabó durante los años cincuenta), apenas se le menciona en los trabajos escritos en Cuba después de 1959. En una entrevista realizada por Leonardo Acosta, Orestes no habla sobre su hermano, y mucho menos sobre las contribuciones musicales de este a la orquesta de Arcaño (Leonardo Acosta: *Del tambor al sintetizador*, Letras Cubanas, La Habana, 1983, pp. 43-50).

[5] Rolando Laserie, entrevista con el autor, Miami, Florida, 14 de agosto, 1990. Los recuerdos de René Touzet confirman lo anterior: "El mambo la primera vez que se oyó fue en la orquesta de Arsenio Rodríguez. Lo de Arcaño no era mambo, era danzón" ("René Touzet, entrevista con el autor", Miami, Florida, 13 de agosto, 1990).

Todos los músicos, con excepción del bajista y del tumbador, están autorizados para hacer lo que les dé la gana, inspirándose o improvisando aires a la diabla, de modo que se establece lo que llamaríamos una caprichosa e informal conversación entre el piano, la flauta, el violín, el güiro, el timbal y el cencerro, mientras el bajo y la tumbadora regañan rítmicamente como para poner la casa en orden. Y si bien la improvisación carece de la "elegancia" y la "gracia" del resto del danzón, gusta a bailadores y músicos por igual.[6]

En un artículo de ese mismo año, el musicólogo Odilio Urfé subrayaba también la espontánea polirritmia del mambo. Según Urfé, originalmente los mambos se caracterizaban por su "anarquía dentro del Tempo" y no solían escribirse en el pentagrama. Con la aparición del formato del *jazzband*, los arreglistas comenzaron a escribir la sección de mambo, aun cuando en esos casos se creaba más bien una "atmósfera de mambo" que un mambo propiamente dicho.[7] Urfé concluye que el verdadero mambo exige libre improvisación:

Para que se produzca el mambo se requiere fundamentalmente que todos, absolutamente todos los que participan en su formación, toquen de manera distinta lo que tienen escrito. Más claro, todos deben ejecutar lo que no está escrito dentro de lo que está escrito. Para obtener un genuino mambo los instrumentistas deben emplear solamente en el "clímax" o "nudo" efectos rítmicos. Ritmo contra ritmo. Nada de tonadas ni melodías definidas. No debe haber ritmo fijo en ningún instrumento.[8]

Estos dos ensayos ayudan a llenar algunas de las lagunas en la génesis del mambo. En primer lugar, establecen un vínculo entre mambo sagrado y profano; además, coinciden en definir el mambo como un diálogo o contrapunteo de instrumentos. Así lo describe Ortiz: "el mambo es, en fin, cierto típico efecto musical producido por cruzamiento de los ritmos de varios instrumentos, o sea un «palabre» o «conversación de ritmos»".[9] Tanto Urfé como Cuéllar Vizcaíno hacen hincapié en la libertad de

[6] Manuel Cuéllar Vizcaíno: "La revolución del mambo", en *Bohemia*, No. 2, 30 de mayo de 1948, p. 21.

[7] Odilio Urfé: "La verdad sobre el mambo", en *Inventario*, No. 2, mayo de 1948, p. 12.

[8] Ídem.

[9] Fernando Ortiz: *La africanía de la música folklórica de Cuba*, p. 246.

improvisación del mambo, insistiendo que para lograr un mambo los músicos deben tocar "a la diabla" ("diablo" era, de hecho, un sinónimo de "mambo"). El resultante tumulto sonoro se ve controlado solamente por la regularidad del bajo y la tumbadora; el resto corre por cuenta de la audacia y la discreción de los integrantes de la orquesta. Urfé expresa esta idea al afirmar que el mambo descubre melodías y ritmos tácitos, "lo que no está escrito dentro de lo que está escrito". Si el mambo litúrgico propiciaba el contacto entre lo visible y lo invisible, el mambo profano establece un diálogo entre lo audible y lo inaudible.

Los ensayos de Urfé y de Cuéllar Vizcaíno resultan igualmente significativos por lo que no dicen. Los musicólogos interesados en establecer la "cubanía" del mambo se inclinan a subrayar el papel de Arcaño en la evolución del género. Su importancia, así como la de Arsenio Rodríguez y los hermanos López, es indiscutible. No obstante, queda claro que ni Arcaño ni Arsenio –ambos mencionados en el artículo de *Bohemia*– consideraban el mambo un género musical autónomo. El primero lo definía sencillamente como un "montuno sincopado".[10] En 1948, por lo menos diez años después de que la palabra hubiera adquirido su sentido musical, el mambo todavía estaba supeditado al danzón.[11] El momento crucial en la evolución del mambo tiene lugar cuando se desaloja de la matriz del danzón, otrora su "ámbito propio". El responsable de tal hazaña fue Dámaso Pérez Prado, el auténtico "rey del mambo".

***

El mambo ha tenido muchos notables exponentes, pero Pérez Prado fue, sin duda, el que más aportó tanto a su definición

---

[10] Cuéllar Vizcaíno: ob. cit., p. 97.
[11] En *Isles of Rhythm*, publicado también en 1948, Earl Leaf ofrece una extensa relación de ritmos cubanos: rumba, conga, son, danzón, danzonete, guaracha, guajira, zapateo, bolero, pregón; pero no menciona el mambo. Sin embargo, sí explica que durante los rituales vudú, la santera es llamada «mambo», aunque no lo relaciona con la música o el ritual afrocubano. Véase *Isles of Rhythm*, A.S. Barnes and Company, Nueva York, 1948, pp. 41-56. El compositor Bobby Collazo señala que la moda del mambo empieza a fines de 1946; ver *La última noche que pasé contigo*, Editorial Cubanacán, 1987, p. 264. Sin embargo, en 1950, Juan J. Remos escribía que el mambo era una «nueva forma» que acababa de «irrumpir» en la escena cubana. ("La virtud del mambo", en *Diario de la Marina*, 27 de diciembre de 1950.) Hasta la fecha, mambo sigue siendo también el término utilizado para designar una sección de un arreglo de música "salsa", lo que explica por qué composiciones que no son mambos son clasificadas como tales.

musical como a su éxito comercial. El pianista ejerció una influencia mayor y llegó a mucho más público que los demás músicos latinos de los años cincuenta, Tito Puente, Machito y Tito Rodríguez entre ellos. Si en las décadas de los treinta y los cuarenta Desi Arnaz había sido el "conquistador de la conga", en los cincuenta Pérez Prado se convirtió en el indiscutible "rey del mambo". Como bien ha señalado Natalio Galán, el mambo fue esencialmente una "excogitación", una brillante ocurrencia del autor de *Patricia*.[12] A diferencia del son o de la rumba, el mambo no procede de una larga tradición popular. Las primeras rumbas se bailaron en las calles; los primeros mambos se bailaron en salones de baile. Galán compara el mambo con un rico guarapo servido en un vaso de plástico –analogía justa, pese a que la intención es despreciativa, pues apunta a la artificialidad del género, al hecho de que es una música "culta". Y si bien diversos músicos contribuyeron a la receta, fue Pérez Prado quien le añadió los últimos ingredientes y lo preparó para el consumo.

Nacido en la provincia de Matanzas en 1916, Pérez Prado se trasladó a La Habana en 1942, donde comienza a tocar en pequeños clubes como el Kursal y el Pennsylvania.[13] Posteriormente fue pianista y arreglista de la orquesta Casino de la Playa, hasta que en 1948 sale de Cuba para instalarse en Ciudad México, donde adquiere fama como "el Glen Miller de México". A pesar de que en 1948 Pérez Prado era una figura reconocida en los círculos musicales de La Habana y de que en sus arreglos para la orquesta Casino se ya pueden escuchar las estridencias características del mambo, ni Cuéllar Vizcaíno ni Urfé lo mencionan, lo que sugiere que para estas fechas todavía no se le asociaba con el entonces incipiente género. Pero solo dos años más tarde su nombre se convertiría en sinónimo de mambo.

Ya en 1942 y 1943 Pérez Prado había comenzado a experimentar mezclando la sonoridad de las *big bands* norteamericanas con ritmos afrocubanos, aunque la fusión no cuajó sino varios

---

[12] Galán: *Cuba y sus sones*, p. 342. La popularidad del mambo en los últimos años ha provocado la aparición de varios pretendientes al título de «rey del mambo»; en particular, Machito, Mario Bauzá y Tito Puente. Incluso a Desi Arnaz, que nunca interpretó un mambo, se le llama ahora el "rey del mambo".

[13] La fecha de nacimiento de Pérez Prado varía entre 1916 y 1922 según la fuente que se consulte. Aquí me atengo a la información ofrecida por Helio Orovio en su *Diccionario de la música cubana*, Letras Cubanas, La Habana, 1981, p. 32. [En el prólogo de la presente compilación se aclara que el año es 1917. *N. E.*].

años después. En 1946, el músico se trasladó a Nueva York donde hizo algunos arreglos para Desi Arnaz, Miguelito Valdés y Xavier Cugat. A su regreso a la Isla, Enrique C. Betancourt lo entrevistó para Radio Magazine, una publicación habanera. Al final de la entrevista, Pérez Prado declara:

> Estoy preparando un estilo musical nuevo que creo que va a gustar mucho: el son mambo. El primer número se llama *Pavolla*. Ya solo falta un "pase" al piano y, tal vez, alguna corrección. La firma Vda. De Humara y Lastra está esperándolo como cosa buena para grabarlo y lanzarlo al mercado. Vamos a ver qué sale de ahí.[14]

Aunque no ha quedado claro el impacto que tuvo la visita a Nueva York en el desarrollo de las ideas musicales de Pérez Prado, es indudable que el "son mambo" anticipa lo que más tarde llamaría llanamente "mambo". El texto de la entrevista venía acompañado de una instantánea del compositor al piano, sosteniendo una hoja de papel pautado sobre la que había escrito, en grandes caracteres, "SON MAMBO".

A pesar del optimismo de Pérez Prado en esta entrevista, los estudios de grabación de la Isla nunca mostraron gran interés por su música, considerándola rara e intelectualista. El cantante Rolando Laserie cuenta la divertida anécdota de que los músicos cubanos, en particular los trompetas, temían a Pérez Prado por la dificultad de sus arreglos: "Pérez Prado era un artista muy moderno y había que ser muy buen músico para trabajar con él. Sobre todo los trompetas, porque les ponía muchas notas altas que eran difíciles de tocar. Los músicos en Cuba veían llegar a Pérez Prado y decían: «Dios mío, ahí viene Beethoven», porque él fue el Beethoven del mambo".[15]

No fue hasta 1949, después de abandonar Cuba y establecerse en México, que Pérez Prado logró interesar a una compañía disquera en sus "excogitaciones". Herman Díaz, en aquel entonces el encargado de la división internacional de RCA Victor, recuerda que la primera sesión de grabación fue el 30 de marzo de 1949.[16] Si quisiéramos celebrar el nacimiento del mambo, ese

---

[14] *Apuntes para la historia*, Ramallo Bros. Printing, San Juan, Puerto Rico, 1986, pp. 110-113. No he logrado encontrar ese título en la extensa discografía de Pérez Prado. En la misma entrevista, Pérez Prado dice sobre Desi Arnaz: "es un gran tipo que quiere mucho a Cuba".

[15] Entrevista con el autor, Miami, Florida, 14 de agosto, 1990.

[16] Cfr. Nat Hentoff, "Mambo Rage Latest in Latin Dance Line", en *Down Beat*, 1 de diciembre de 1954.

sería el día indicado, pues fue durante esa sesión que Pérez Prado grabó *Qué rico el mambo* (o *Qué rico mambo*), la pieza que tomó el mundo de la música por asalto. En los años que siguieron Pérez Prado grabó docenas de mambos. En 1952 su agente publicitario declaró que Pérez Prado había vendido más seis millones de discos de mambo.[17] Aunque la cifra sea una exageración, no cabe duda de que el músico matancero había alcanzado un éxito espectacular. En la época en que abandonó Cuba, Pérez Prado ganaba, como pianista y arreglista, 50 pesos a la semana; pocos años después se decía que sacaba 20.000 dólares al mes. Su popularidad en México llegó a ser tal que dondequiera que iba debía ser protegido por la policía.

Robert Farris Thompson, que se encontraba en México en 1950, ha dejado una vívida descripción de los inicios de la moda del mambo:

> Me encontraba en Ciudad México en marzo de 1950, pocas semanas después de que Pérez Prado conquistara el mundo con su versión del mambo neoyorquino con sabor a Bop. En el Hotel del Prado asistí a una fiesta de mambo que amenazaba con echar abajo el edificio. Nunca antes ninguno de los que estaba en aquella fiesta había bailado mambo, pero la nueva música parecía gritarles un insistente "ven". La gente había decidido que, a diferencia de otros bailes, cualquiera podía bailar mambo. Algunos intentaban seguir los pasos de un Fox Trot. Otros, riéndose, probaban con la samba. Una mujer alta y hermosa comentaba: "En serio, mi vida, pero qué ritmo más raro".[18]

Según Thompson, la rareza del mambo surgía de su hibridez. Algunos de los antecedentes de la mezcla se encuentran ya en el "danzón de nuevo ritmo" de Arcaño, pero otros provienen directamente del jazz norteamericano. Antes de Pérez Prado, el mambo estaba vinculado a la charanga, con su particular complemento de flautas, violines, bajo y timbales. Inspirado en orquestas como la de Glen Miller, Pérez Prado incluyó en la suya una amplia sección de saxos y trompetas, lo cual la apartaba del modelo cubano.[19] Ni siquiera el conjunto de Arsenio Rodríguez,

---

[17] Ralph J. Gleason: "Prado's New Mambo Is Sweeping the Americas", en *Dancing Star*, No. 3, enero de 1952, pp. 4, 16.

[18] Robert Farris Thompson: "Mambo with Pantomime", en *Dance*, No. 6, junio de 1958, p. 68.

[19] Para un análisis más detallado de la orquesta de Pérez Prado, véase la obra de Acosta: *Del tambor al sintetizador*, p. 49.

con su reducida sección de metales, le servía de precedente. Ferviente admirador de Miller, Stan Kenton y otros instrumentistas norteamericanos de la época, Pérez Prado utilizaba su primera línea de cuatro saxos y cinco trompetas de maneras insólitas. Los sonidos de sus metales, con sus disonancias y sus notas altas y agudas, sumados al contrapunteo de los saxos, introducían una nueva sonoridad en la música "cubana".[20] El *Mambo* de Orestes López, animado pero contenido, no se parecía en nada a los de Pérez Prado. Para un público acostumbrado a sones y boleros, el mambo en realidad era un *mumbo jumbo*.

El mambo de Pérez Prado también sonaba *raro* porque carecía de la estructura de dos o tres partes de otras formas musicales. Debido a su origen en un montuno instrumental, cuando el mambo se independiza pasa a ser un fragmento autónomo, una *pieza* que no se enmarca dentro una totalidad. Por eso, como ha señalado John Storm Roberts, le falta "complejidad interna y formal".[21] Una composición como *Qué rico el mambo* es un agresivo y breve exabrupto musical, complejo en sus armonías y disonancias internas, pero inquietantemente uniforme en su contextura. Si abordamos uno de los mambos de Pérez Prado *in media res*, no es fácil distinguir si la pieza empieza o si está a punto de terminar. La letra tampoco nos ayuda a ubicarnos, pues, en caso de que exista, es tan escueta que roza lo absurdo. Pérez Prado emplea las palabras a la manera del *scat* en el jazz, repitiendo sílabas aisladas como si fueran punteadas de piano o de trompeta. En *Qué rico el mambo*, la letra entera dice: "Mambo, qué rico el mambo, mambo qué rico é, é, é". Hasta el apócope de «es» delata la tendencia al minimalismo. La letra de otro famoso mambo, *La niña Popoff*, se limita a pronunciar el nombre una y otra vez. Además el título de algunos de sus mambos más

---

[20] Pérez Prado hace hincapié en la importancia de las partes de trompeta y saxo: "La interpretación del mambo se basa en los saxos, pues son ellos los que llevan la pauta fundamental del ritmo. La sección rítmica acentúa esa pauta y los metales tienen un número de funciones variables que pueden interpretar. Los metales dan la melodía por encima de los saxos y el ritmo; pueden hacerle un contrapunteo al saxo, pueden limitarse a acentuar rítmicamente las figuras que los saxos están interpretando, o simplemente cambias y haces que los metales lleven la pauta del ritmo mientras los saxos tocan la melodía". (Nat Hentoff: "Prado Tells How Mambo Made It But Not How He Makes It Tick", en *Down Beat*, 1 de diciembre, 1954).

[21] *The Latin Tinge*, p. 128.

conocidos consiste solo en un número –*Mambo No. 5, Mambo No. 8*– gesto que nos revela tanto las ambiciones artísticas del autor (su compositor favorito era Stravinsky), como su indiferencia respecto al lenguaje. No en balde otro conocido mambo se titula, *Ni hablal*.

Lacónico más que lírico, reiterativo más que narrativo, el mambo no "come cuentos". En su esencia es un género instrumental. De ahí que casi todos los mambos cantados, como los que Benny Moré grabara en México con Pérez Prado, son más bien sones o guarachas con algunos floreos mambísticos. Cuando el mambo aúna música y letra, el resultado es a menudo la logoclasia, la desarticulación o fragmentación del lenguaje. El mambo cultiva las cualidades fónicas u onomatopéyicas del idioma, sin prestar mucha atención a su capacidad para comunicar significados. Las palabras valen no por su sentido, sino por su sonoridad.

Es este el contexto donde debemos situar la idiosincrasia más famosa de Pérez Prado: los enfáticos gruñidos con que salpicaba sus interpretaciones. Poco después de su llegada a los Estados Unidos en 1951, *Newsweek* publicó el siguiente comentario: "Las actuaciones de Pérez Prado se caracterizan por peculiares sonidos semejantes a eructos que el músico vocaliza para inducir a su orquesta a «darle»". Por esa misma fecha, la revista *Ebony* señalaba: "Profiriendo extraños sonidos guturales mientras dirige, Prado conduce su orquesta a una furiosa intensidad musical". Otras publicaciones comparaban sus gruñidos con «los vehementes gritos de un arriero» o "con el rugido de una foca".[22]

Pero según Pérez Prado, los enigmáticos gruñidos eran solo el vestigio de una palabra; tal como explicó en diversas ocasiones, los sonidos eran el resultado de la manera en que arrastraba la palabra «dilo», con la que instaba a sus instrumentistas a esforzarse.[23] La desarticulación de «¡dilo!» para convertirlo en

[22] Tomado respectivamente de "El Mambo", en *Newsweek*, 4 de septiembre, 1950; "Mambo King", en *Ebony*, 6, septiembre de 1951, p. 46; Marshall Stearns, *The Story of Jazz*, Oxford University Press, Nueva York, 1956; y Bill Smith, "Pérez Prado Ork", Billboard, 7 de agosto, 1954.

[23] *Dilo (Ugh!)* se convirtió en el título de uno de sus discos (R. C. A. Víctor, 1958). La explicación de Pérez Prado puede encontrarse en el artículo de Oscar Berliner: "Latin American", en *Down Beat*, 22 de enero, 1955. En las notas que aparecen en la carátula de *Dilo (Ugh!)*, Watson Wilie dice: "El aspecto más intrigante del grito de guerra de Prado es precisamente cómo se las arregla para convertir el sonido de la palabra «¡Dilo!» en algo como «¡Uj!». El autor guarda en secreto la técnica exacta, pero para el oído analítico parecería que

«¡uj!» es tal vez el mejor ejemplo del ímpetu logoclasta del mambo, de su tendencia a reducir el vocablo a voz, la comunicación a expresión. El que sea precisamente la palabra «dilo» la que se ve sometida a este proceso de reducción subraya la significación del gesto, pues sin el verbo *dicendi* no hay narración posible. En el mambo un gruñido vale por mil palabras.

El laconismo del mambo asistió a su difusión internacional. Sin letra que traducir, la misma grabación podía llegar a públicos de diversas nacionalidades. A causa de los acápites numéricos de algunos mambos, ni siquiera había que cambiar los títulos. El mambo es un compás, pero sin norte: la letra, en inglés o en español, lo hubiera orientado demasiado en una dirección. (En la década anterior, parte de la popularidad de la conga en Estados Unidos también se debió a que era esencialmente instrumental). En este sentido el contraste entre el mambo y los *latunes* de los años cuarenta resulta ilustrativo. La mayoría de estas "tonadas latinas", como *I'm On My Way To Cuba* de Irving Berling y *Cuban Pete* de Desi Arnaz, no eran más que sones o boleros con letra en inglés. El equilibrio cultural emergía del contraste entre el fraseo verbal y el musical. Las tonadas eran monolingües, monomusicales pero biculturales: el ritmo era cubano, la letra americana y la combinación cubanoamericana. Muchos *latunes* eran sencillamente atroces, pero algunos lograban un meloso y melodioso acoplamiento de música y letra, manifestación característica de ingenio bicultural. En el caso del mambo, la música misma acopla ambas culturas. El ingenio no yace en el juego entre lenguaje y ritmo, sino en el contrapunteo de sonidos y ritmos disímiles.

La extensa producción de Pérez Prado se puede separar en tres apartados. El primero incluye los mambos *puros*, piezas como *Qué rico el mambo*, *Caballo negro*, *Mambo No. 5*, *Mambo No. 8*, *La niña Popoff* y otros. Estas composiciones encierran el "estofado" de sonoridades en su estado más condimentado. El segundo grupo comprende piezas que, a pesar de no ser mambos, incluyen toques o pasajes mambísticos; este grupo recuerda al danzón de nuevo ritmo de Arcaño en el cual el mambo formaba parte de un todo más amplio. Aquí podríamos incluir los éxitos más grandes de Pérez Prado, *Cherry Pink and Apple Blossom White*

---

logra esta transición despojando a la palabra de todas sus vocales y consonantes antes de soltar el aire".

(*Cerezo rosa*, versión aplatanada de una canción francesa), con el memorable solo de trompeta de Billy Regis, y *Patricia*, un swing que, interpretado por Nino Rota, fue usado por Fellini como tema musical de *La dolce vita* (1960).[24] *Cherry Pink and Apple Blossom White* estuvo en las listas de éxitos de la revista *Billboard* durante veintiséis semanas, logro superado únicamente por *Don't Be Cruel*, de Elvis Presley. Este segundo grupo incluye también la mayoría de los números que Pérez Prado grabó con Benny Moré a principios de los cincuenta, como *Pachito e'ché*, *Bonito y sabroso* y *Mambo e'te*. La ironía de la carrera del "rey del mambo" es que algunos de sus *hits* más sonados fueron composiciones que realmente no eran mambos. De hecho, cuando en 1955 *Cerezo rosa* se convierte en un éxito, ya la moda del mambo había comenzado a pasar; cuando sucede lo mismo con *Patricia* en 1958, el mambo solo perduraba en bastiones de música latina como el Palladium de Nueva York.

La tercera categoría dentro de la obra de Pérez Prado comprende versiones en ritmo de mambo de canciones como *Granada*, de Agustín Lara, el viejo danzón cubano *Almendra*, o *El Manisero*, de Moisés Simon, que había dado inicio a la moda cubana en Estados Unidos en los años treinta. Los innovadores arreglos de Pérez Prado de estos números archiconocidos, tal como la versión de *Granada* incluida en su álbum *Havana 3 a.m.* (1956), demuestran, una vez más, el ímpetu hibridizante del mambo. Las ingeniosas y a veces burlonas interpretaciones de boleros como *Bésame mucho* y *Ojos verdes* tienen una frescura –tanto en el sentido de originalidad como en el de atrevimiento– que se puede apreciar aún hoy en día. Ya que el "Beethoven del mambo" a menudo componía contra el *tempo* y el espíritu de la música, su versión de una pieza como *Bésame mucho*, donde el agresivo timbre de las trompetas perfora la ñoña melodía, equivale a una risueña parodia del original. La disonancia musical se ve subrayada por lo que podríamos describir como disonancia tonal; esos estridentes metales se encuentran totalmente fuera de lugar en semejante escenario. En manos de Pérez Prado, la

---

[24] Refiriéndose a *Cerezo rosa*, el historiador del rock Arnold Shaw afirma: "repleto de bajos, vibrantes e intensos tonos en los trombones, con trompetas, cencerros y gruñidos por todo lo alto, era un mambo –un baile latino que significaba para la rumba lo que el jitterbug para el fox trot". Véase *The Rocking '50s*, Hawthorn Books, Nueva York, 1974, p. 123.

trompeta se convierte en trompetilla. Aquellos que ponen en duda la "cubanía" del mambo harían bien en reflexionar si ese humor desmitificador no nace del choteo. En cierta ocasión, Carpentier señaló que Pérez Prado emplea el "*non-sense*, el disparate verbal, con un desparpajo que le confiere, al menos, el mérito del humorista".[25] Habría que añadir que ese desparpajo no solo aflora en las letras minimalistas, sino también en la frescura de los arreglos.

Existen dos corrientes de pensamiento sobre el mambo. La primera, que llamaré la escuela de La Habana, hace hincapié en las raíces del mambo dentro del danzón y presenta a Bebo Valdés, compositor de piezas como *Güempa, Mambo caliente* y muchas otras, como el adalid del genuino mambo cubano. Nicolás Díaz Ayala, por ejemplo, afirma que los mambos de Bebo Valdés están "mucho mejor elaborados y [son] más cubanos que los de Pérez Prado".[26] La otra escuela, la de Nueva York, subraya acertadamente la mezcla de música afrocubana y jazz que tuvo lugar en esa ciudad durante la década de los cuarenta. Según los adeptos de esta escuela, las principales figuras de la historia del mambo son músicos asentados allí, como Machito, Tito Puente, Tito Rodríguez y Justi Barreto. Pérez Prado no encaja en ninguna de las dos escuelas, aunque estaba familiarizado con el origen afrocubano del mambo y bien pudo haber recogido algunas ideas durante su estancia en Nueva York en 1946. Pero su espectacular carrera tiende exceder ambas teorías sobre el origen y la naturaleza del mambo. Para la escuela cubana, Pérez Prado es demasiado americano, mientras que para la de Nueva York resulta demasiado "comercial". Además, apenas tocó en Nueva York, donde Tito Puente ocupaba el trono del rey del mambo.

---

[25] Alejo Carpentier: *Ese músico que llevo dentro*, Letras Cubanas, La Habana, 1980, Vol. 2, p. 344. En esta compilación, que abarca tres volúmenes de artículos sobre música, Carpentier hace mención de Pérez Prado o el mambo solo una otra vez al señalar: "Me encanta cierta música popular urbana, tan llena, a veces, de auténtica gracia. Me gusta la melodía de *Silbando el mambo* de Pérez Prado, y también la canción –tan insinuante, indolente– de *La balandra Isabel* (Vol. 3, p. 177).

[26] Díaz Ayala: *Música cubana*, p. 227. Según Juan J. Remos, el mambo "no ha nacido en nuestro suelo, no obstante ser su autor matancero: ha venido de fuera y lo traen, con su inventor, ejecutores de otros patios: especialmente de México" ("La virtud del mambo", p. 5).

Vástago de la tradición cubana de traslación, de "desalo-
jo", Pérez Prado es otro de esos cubanos para quienes la falta
de "ámbito propio" se convierte condición de creatividad. John
Storm Roberts ha criticado sus mambos por considerarlos "de
un raro, si bien extraviado [misplaced], ingenio".[27] Pero en el
misplacement, el extravío, la mala colocación, yace el origen
del mambo, como la de toda la cultura cubanoamericana. Según Natalio Galán, el mambo de Pérez Prado exhibe "un neu-
rótico desequilibrio rítmico".[28] Sí, pero a veces hay libertad en
el desequilibrio y novedad en la neurosis.

Antes de abril de 1951, fecha en que Pérez Prado se presentó
ante un público norteamericano por primera vez, el mambo
apenas era conocido en Estados Unidos. Su difusión tuvo lugar
en dos etapas. La primera comenzó a fines de los cuarenta,
momento en que la música cubana había ganado en popularidad dentro de la creciente población hispana de Nueva York.
Ya en 1947 Tito Puente dirigía una orquesta llamada los *Mambo
Devils* (*Los Diablos del Mambo*); un año antes, en 1946, el cubano
José Curbelo había grabado un disco titulado *Los reyes del mambo*.[29] Es muy probable, sin embargo, que en esa época la palabra
"mambo" no designara todavía un género autónomo, sino el
final improvisado y rápido que remataba una guaracha o un
danzón. Significativamente, *Los reyes del mambo*, de Curbelo,
no es un mambo sino una guaracha.

La segunda etapa se inicia en 1950, cuando el director de
orquesta Sonny Burke, encontrándose de vacaciones en Méxi-

[27] Roberts: *The Latin Tinge*, p. 128.
[28] Galán: *Cuba y sus sones*, p. 342.
[29] La información procede de Roberts: *The Latin Tinge*, p. 124. Según Albert y
Josephine Butler, en 1944 Anselmo Sacasas grabó *The Mambo* ("Mambo As It
Is Danced at Broadway's Palladium", en *Dance*, 24, No. 3, marzo de 1950, p.
32). No he logrado encontrar confirmación de lo anterior, pero es posible
que la grabación de Sacasas fuera del viejo danzón de Orestes López. En su
relación de "hitos del mambo", Ernest Borneman cita los conciertos celebrados
en 1946 en el salón Sweet's de Oakland, California ("Big Mambo Business",
en *Melody Maker*, 11 de septiembre de 1954). Otro músico de Nueva York, Joe
Loco, aseguró en una ocasión que ya desde 1936 él tocaba mambo en Harlem
(en *Metronome*, 71, mayo de 1955, p. 12), lo que seguramente no es cierto (por
algo se llamaba "loco"). En 1948, *Dance News* informaba: "El mambo constituye
el más popular de todos los bailes actualmente de moda en las salas
nocturnas de Nueva York" (Don LeBlanc: "The Mambo", en *Dance News*,
No. 4, octubre de 1948, p. 8).

co, escucha *Qué rico el mambo*. Poco después lo graba cambiándole el título a *Mambo Jambo*. Un año más tarde, la compañía Decca saca a la venta un álbum de mambos instrumentados por Burke (la mayoría sigue demasiado de cerca los arreglos de Pérez Prado) y una de sus composiciones, *Mambo Man*, aparece en el musical *Painting the Clouds With Sunshine* (1951). Alentados por el éxito de *Mambo Jambo*, los ejecutivos de la RCA Victor trasladan a Pérez Prado de su sello internacional al de pop, y su éxito latinoamericano se repite en Estados Unidos. En poco tiempo *Qué rico el mambo* pasa a formar parte de las listas de éxitos al vender más de 600.000 discos, y desde ese momento el mambo se identifica con el músico cubano con "cara de foca" y trajes de chuchero que saltaba desenfrenadamente en el escenario emitiendo extraños sonidos guturales.

(La fama de Pérez Prado en Estados Unidos tuvo un precio. Siempre se pierde algo en una traducción, y Pérez Prado perdió su nombre de pila, Dámaso. Para los norteamericanos quedó como "Pérez Prado", con el "Pérez" –eventualmente "Prez"– sustituyendo a Dámaso. Aún hoy en día algunas fuentes de referencia en lengua inglesa dan su nombre como "Prado, Perez".)

La rapidez con que el mambo fue asimilado por la cultura norteamericana ofrece un ejemplo más de la fascinación que ejerce lo "latino" en Estados Unidos. En abril de 1951, en vísperas de la primera gira de Pérez Prado, la revista *Time* advertía que un nuevo baile estaba a punto de conquistar el país. Encabezada por el "emperador del mambo", la "conquista" resultó ser un éxito arrasador, con llenos en todas partes. Las reseñas sobre las actuaciones de Pérez Prado alababan tanto su música como su presencia escénica. En agosto del mismo año, cuando Pérez Prado estaba a punto de comenzar otra gira de conciertos, *Variety* opinó que era "una apuesta segura para colgar el cartel de «agotado» en las taquillas de todo el país", añadiendo que la orquesta de Pérez Prado resultaba tan eficaz "en un concierto como lo era en una sala de baile". Meses después, la publicación *Down Beat* informaba que la gira de Pérez Prado por la Costa Oeste había atraído por primera vez en muchos años a 3.500 fanáticos a la sala Sweet's de Oakland.[30]

---

[30] *Time*, 9 de abril, 1951; *Variety*, 29 de agosto, 1951; "Prado's West Coast Tour a Huge Success", en *Down Beat*, 5 de octubre, 1951. Gleason añade:

A fines de 1951 la "mambomanía" ya estaba en pleno apogeo. En los años que siguieron las revistas más leídas de Estados Unidos divulgarían noticias en primera plana sobre la nueva moda musical. *The New York Times Magazine, Collier's, Life, American Mercury, Ebony, Saturday Review* –todas le dieron la bienvenida al mambo con una mezcla de interés y perplejidad, pues nadie sabía a ciencia cierta en qué consistía el mambo. En 1954, el historiador del jazz Nat Hentoff escribía que el mambo se había convertido en "un desconcertante frenesí nacional, arrebatadoramente popular pero casi imposible de definir".[31] Incluso el nombre de la música resultaba un misterio, y las autoridades en la materia ofrecían diferentes conjeturas: algunos pensaban que era un recurso "onomatopoético"; otros remontaban sus orígenes a los rituales afrocubanos; y hasta hubo quien aventuró que era la palabra empleada por los guajiros cubanos para cortar caña (la caña caía al grito de ¡mambo!).

Sin duda, la reputación de ser un baile lujurioso y desinhibido aguzó la curiosidad. Un tema recurrente en la prensa era la dimensión "salvaje" o "primitiva" del mambo, lo que un escritor denominaba su "alto coeficiente sexual" y otro calificaba de "capacidad de desatar todos los demonios".[32] *Ebony* comenzó su exposición de la siguiente forma: "Sus impulsos son primitivos, sus ritmos frenéticos, sus pasos delirantes, y se llama mambo". En un pretencioso ensayo titulado "The Mambo and the Mood" ("El mambo y el ánimo"), Barbara Squier Adler concluía: "El mambo bien pudiera ser la contrapartida musical del psicoanálisis. Ambos liberan, o parecen liberar, al individuo de las tensiones que se generan cuando se intenta llevar una vida

---

"Es una pena que no estuvieran presentes todos los directores de orquesta que han estado refunfuñando porque ya nadie baila en Estados Unidos. Amigos míos, el público de Prado baila; todos, jóvenes y viejos, dan sus pasitos. Con frecuencia la orquesta bajaba tanto su sonido que se podía escuchar, por encima del golpeteo de la tumbadora, el rítmico sonido de los pies de los bailadores. ¿Desde cuándo no se oía algo semejante en un lugar tan grande como el Sweet's?".

[31] Hentoff: "Prado Tells How Mambo Made It But Not How He Makes It Tick", p. 3.

[32] Tomado, respectivamente, de Walter Waltham: "Mambo: The Afro-Cuban Dance Craze", en *American Mercury*, 74, enero de 1952, p. 17; y Barbara Squier Adler: "The Mambo and the Mood", en *New York Times Magazine*, 16 de septiembre, 1951.

normal en una época anormal".[33] El propio Pérez Prado recibía
el calificativo de "moderno dios del placer" y "diablito",[34] mote
adecuado si recordamos, por un lado, el papel de los "diablitos"
dentro de las fiestas afrocubanas, y, por otro, el hecho de que
"diablo" había sido sinónimo de mambo.

Como los *Latin lovers* de Hollywood, el mambo representaba, al mismo tiempo, una amenaza y una tentación. Los profe-
sores de baile trataban de amortiguar su erotismo asegurando
a sus alumnos que existían dos variedades de mambo, el "suave" y el "duro".[35] El primero, que se enseñaba en las academias elegantes como la de Arthur Murray, era un baile de "sutil prudencia". Mientras la Sra. Arthur Murray le aseguraba al
americano de clase media que el mambo no era más que una
"rumba con paso de jitterbug", Arthur Murray se jactaba en
su programa de televisión de que podía enseñar los pasos esenciales del mambo en menos de un minuto.[36] En cambio, el mambo "duro" era el hermano prieto y tosco del mambo de salón.
Practicado en sedes como el Palladium de Nueva York –"el
Hogar del Mambo"– esta frenética variante era un baile de
"desbordante exhibicionismo" caracterizado por violentas contorsiones y movimientos lascivos.[37] Al repasar la literatura sobre el mambo casi medio siglo después, queda claro que nadie
sabía exactamente qué era el mambo ni cómo debía bailarse.
Existían tantas formas de bailarlo como manuales de instruc-
ciones. En 1958, *Dance Magazine* todavía abría sus páginas a

---

[33] "Mambo King", en *Ebony*, 6, septiembre de 1951, p. 45; Adler: "The Mambo
and the Mood", p. 22.
[34] Respectivamente, en los artículos "Mambo King", p. 46; y "Pérez Prado
Shines on Coast", en *Down Beat*, 13 de enero, 1954. Existía, claro, un elemento
de tipificación racial en todo esto. En Cuba ya se clasificaba el mambo como
"una africanización" del danzón (Cuéllar Vizcaíno: "La revolución del
mambo", p. 98). La revista *Time* señalaba que el mambo combinaba "la sutil
artimaña del latino con la simplicidad del ritmo de las orquestas de sociedad"
("Darwin and the Mambo", 6 de septiembre, 1954). El titular de la revista
Life, en su número correspondiente a diciembre de 1954, rezaba: "Uncle Sambo,
Mad for Mambo". "Sambo", en inglés, es un epíteto racial despectivo.
[35] Albert Butler y Josephine Butler: "Mambo Today", en *Dance*, 27, No. 12,
diciembre de 1952, p. 52.
[36] Mrs. Arthur Murray: "What the Heck is the Mambo", en *Down Beat*, 1 de
diciembre, 1954.
[37] Sylvia G. L. Dannett y Frank R. Rachel: *Down Memory Lane. Arthur Murray's
Picture Story of Social Dancing*, Greenberg, Nueva York, 1954, p. 174.

un acalorado debate sobre el tema.[38] (Fue un mambolero mejicano quien, a mi juicio, dio la mejor descripción: "El mambo lo bailamos como podemos".)[39]

Hasta cierto punto la actitud mambofóbica era de esperarse, pues, de hecho, el mambo es "un simulacro [*mockery*] del sexo normal", como observó alguien despectivamente.[40] Una vez desalojado del danzón, el mambo conservó su intensidad, su cualidad paroxística, su imprevisibilidad, pero sin el atenuante de la subordinación. A diferencia del son o del propio danzón, el mambo carece de los *crescendo* y *accelerando*, del "embullo parabólico" que distingue a otros géneros musicales cubanos.[41] En el mambo no hay coqueteo anticipatorio ni laxitud posterior, pues transcurre solo en el vértice de la parábola, en su clímax. A diferencia del danzón, no es un baile de galanteo o apareamiento, ya que el apareamiento es un ritual con fases, como una obra teatral con varios actos o una sinfonía con diferentes movimientos. El mambo se limita a un acto y a un movimiento: *wham-bam, thank-you, mambo*. La revista *Life* lo expresaba del siguiente modo: "más rápido y menos elegante que la *rhumba*, el mambo le permite a sus bailadores llegar al extremo del paroxismo por medio de la improvisación individual, mientras exhiben una expresión de gozo ineluctable".[42] El *tempo* acelerado, los bruscos movimientos y contorsiones, el minimalismo de su letra, la estridencia de los metales, incluso las famosas eyaculaciones verbales de Pérez Prado –todo ello contribuía al paroxismo rítmico del mambo. Con razón la letra del *ur*-mambo alardea: "Mambo, qué rico es".

Además de las continuas referencias a su erotismo, circulaban historias peculiarísimas sobre los nefastos efectos que el mambo

---

[38] Véase Robert Luis: "Rumba's Anniversary"; Dorothea Duryea Ohl: "Mambo Not a Dance?", en *Dance Magazine*, 32, No. 6, junio de 1958, pp. 66-68. Pérez Prado sostenía que el mambo debía bailarse "cómo te parezca" (Hentoff, "Prado Tells How Mambo Made It But Not How He Made It Tick», p. 3). En 1959, el mambo todavía estaba muy de moda en el Palladium. Ver Robert Farris Thompson: "Palladium Mambo", en *Dance Magazine*, 23, No. 9, septiembre de 1959, pp. 73-75.

[39] Citado en Carlos J. Sierra: *Pérez Prado y el mambo*, Ediciones de la Muralla, México, 1995, p. 80.

[40] Walter Waldman: "Mambo: Afro-Cuban Dance Craze", en *American Mercury*, 74, enero de 1952, p. 20.

[41] "Embullo parabólico" es la frase que utiliza Fernando Ortiz para referirse a la música afrocubana (*Los bailes y el teatro de los negros en el folklore de Cuba*, p. 150).

[42] "Uncle Sambo, Mad for Mambo", en *Life*, 20 de diciembre, 1954.

podía tener sobre los bailadores. En los medios de prensa norteamericanos fue muy divulgada la noticia de que en Lima, en enero de 1951, el Cardenal Juan Gualberto Guevara amenazó con negarle el Santísimo Sacramento a los que asistieran a los conciertos de Pérez Prado. Años después, el obispo colombiano Miguel Ángel Builes condenó los baños mixtos en la playa, la educación sexual, el cine y el mambo.[43] Asimismo, en 1951 se comentó que un individuo enloquecido por el mambo había asesinado a varias personas en Ciudad México, mientras que el entonces presidente de Filipinas, Ramón Magsaysay, declaró que el mambo era un "desastre nacional"; los filipinos no quieren trabajar, decía Magsaysay, lo único que quieren hacer es bailar mambo. Pero tal vez la anécdota más singular tiene que ver con un torero cubano (lo que ya de por sí es bastante raro) que declaraba haber sufrido una cornada debido a que los funcionarios de la Plaza de Toros de Ciudad México habían impedido que se tocara mambo mientras él toreaba.

Los músicos y compositores norteamericanos no tardaron en subirse al tren del mambo. Como había sucedido con la conga y la *rhumba*, comenzaron a aparecer piezas "mamboides", es decir, composiciones que, sin ser mambos, aludían al género, ya fuera en la música o en la letra. Casi todas estas composiciones eran en realidad "metamambos", comentarios graciosos sobre la locura que generaba el mambo en sus adeptos: *"Papa loves mambo./ Mama loves mambo./ Look at him sway with it./ Guess he's okay with it./ Shouting olé with it, now:/ Ugh!"* [A papá le gusta el mambo./ A mamá le gusta el mambo./ Mira cómo se mueve./ Parece que le sienta./ Grita olé, y entonces:/ ¡uj!] Este fragmento es de "Papa Loves Mambo", un mamboide que representó un éxito rotundo para Perry Como. Más que un mambo, es un swing con inflexiones latinas. Del mambo la canción solo toma algunas figuras de percusión, uno que otro trompetazo, y, sobre todo, la imitación de los inimitables gruñidos de Pérez Prado. Por supuesto, los puristas despotricaban contra los mamboides. Ernest Borneman, columnista de *Melody Maker*, señalaba que eran "algo espantoso: mal escritos, mal instrumentados y de mal gusto".[44]

---

[43] José Arteaga: *La salsa*, Intermedio Editores, Bogotá, 1990, p. 88.
[44] Ernest Borneman: "Mambo '54", en *Melody Maker*, 1 de enero, 1955. Cualquiera que, a lo largo de 1954, hubiera encendido el televisor para ver el programa de Perry Como, podría haberlo visto no solo cantando esa canción, sino también intentando bailarla con Peggy Lee (Peggy se menea mucho mejor que Perry). El video clip puede encontrarse en *TV Variety XXV*, Shokus Video # 466, 1990.

Daba igual: en una sola semana, en octubre de 1954, las compañías discográficas norteamericanas sacaron a la venta nada menos que diez "discos estilo mambo".[45]

Entre los mamboides de mayor éxito se encontraban, junto a *Papa Loves Mambo*, *They Were Doing the Mambo (But I Just Sat Around)* (*Bailaban el mambo, pero yo me quedé sentado*), de Vaughn Monroe, que dio inicio al género; y *Mambo Italiano*, de Rosemary Clooney, prohibido en la radio por difamar, supuestamente, a los italoamericanos al declarar en su letra, "los calabreses bailan el mambo como dementes". Otros mamboides: *Middle Age Mambo*, *Mambo Rock*, *Mambo Baby*, *Loop-de-Loop Mambo* y *Mardi Gras Mambo*. Las fiestas navideñas de 1954 celebraron el advenimiento de otro híbrido aún más raro: el villancico-mambo, como *Jingle Bells Mambo*, *We Wanna See Santa Do the Mambo*, *Rudolph the Red-Nosed Mambo* y *I Saw Mommy Doing the Mambo (With You Know Who)*, de Jimmy Boyd, en el que un niño descubre a su madre bailando mambo con Santa Claus. Por último, y como prueba de que el mambo no era sectario, Micky Katz grabó *My Yiddishe Mambo*, inspirado en una mambolera judía que "cocinaba sus challes para Noro Morales". El final de la pieza es el colmo de la hibridez del mambo: "¡Olé! ¡Olé! ¡Oy vey!."[46]

La primera actuación de Pérez Prado en Nueva York tuvo lugar en el Starlight Roof, la elegante sala del Hotel Waldorf Astoria. Al principio, el mambo había sido considerado un fenómeno propio de la clase obrera y, en concreto, de negros y latinos. El Hogar del Mambo era el Palladium, situado cerca de Harlem, en Broadway y la calle 53, y orientado a una clientela lo mismo negra que hispana. Pero de los salones latinos de Nueva York el mambo se extendió a los de clase media norteamericana y, posteriormente, a la alta sociedad que frecuentaba el Waldorf. El debut de Pérez Prado en el Waldorf, el 27 de julio de 1954, fue la señal de que el mambo había penetrado todos los estamentos de la sociedad norteamericana. Puede que su orquesta no haya sido la mejor que se haya presentado en el Waldorf, pero desde luego que fue la más escandalosa. Hasta entonces, la única referencia que los clientes del Waldorf tenían de una orquesta latina era la de Xavier Cugat, con sus sarapes, sus chihuahuas y

[45] "Mambo Fever Hits Peak in Music Biz, with More to Come", en *Variety*, 20 de octubre, 1954.
[46] "*Challes*" es la galleta judía; "*Oy vey*" es '¡Ay Dios mío!' en yiddish.

sus monótonas *rhumbas*. Aunque el astuto Cugat ya había sacado un disco llamado *Mambo at the Waldorf*, el día de la presentación de Pérez Prado fue la primera vez que la clientela del Waldorf pudieron escuchar el mambo "auténtico".

Las reseñas fueron halagadoras, si bien cautelosas. Alabando el virtuosismo de "Prez", sus autores manifestaban reservas sobre lo adecuado de la música para un lugar como el Starlight Roof. Sería exagerado afirmar que quedaron alarmados, pero sí subrayaban las "sorprendentes" payasadas de Pérez Prado en el escenario, el "vestuario abigarrado" de la "horda frenética" de *mamboniks* y las numerosas "espectadoras que gritaban en pleno éxtasis" al escuchar los primeros acordes de *Qué rico el mambo*. "No cabe la menor duda de su destreza", decía uno, "pero debería saber que existe algo que se denomina ir más allá de tus propios límites".[47] Durante la temporada, que se extendió varias semanas, el espectáculo fue bien acogido por el público, sin llegar a tener la aceptación que solía disfrutar en otros lugares. Hasta donde he podido determinar, esta fue la primera y la última vez que la orquesta de Pérez Prado tocó en el Starlight Roof.

Durante el mes de julio de 1954, el Waldorf era solo una de varias salas neoyorquinas dedicadas al mambo. Para aquellos que no podían costear la entrada del Starlight Roof, había una multitud de lugares donde aliviar o cultivar la afición por el mambo. Los miércoles por la noche el Palladium ofrecía el "Mamboscope", la "bacanal del baile" donde se podía gozar toda la noche con Tito Puente, participar en un concurso de mambo y tomar clases de mambo impartidas por *Killer Joe* Piro (que era italiano) y *Cuban Pete* Aguilar (que era puertorriqueño). Todo por $1,75.[48] O se podía ir al Roseland, donde tocaba Tito Rodríguez, o al Arcadia, que presentaba a Machito, o a otros pequeños clubes donde también se le rendía culto al mambo. Algunas ciudades disponían de sus propios santuarios: Chicago tenía el Mambo City; Los Ángeles, el Ciro's; y San Francisco, el Macumba Club.

---

[47] Las citas son, respectivamente, de: Smith: "Pérez Prado Ork", pp. 46-47; y "Night Club Reviews", en *Variety*, 4 de agosto, 1954. Véase también Bill Coss: "Prado Means Mucho Mambo", en *Metronome*, 70, octubre de 1954, p. 19.

[48] "The Mambo!! They Shake A-Plenty with Tito Puente", de Nat Hentoff, en *Down Beat*, 6 de octubre, 1954; "'Killer Joe' Piro: Past and Present", de Michael McSorley, en *Dance*, 29, No. 10, octubre de 1955, pp. 40-41, 84; "The Palladium", de José Torres, en *New York Magazine*, 21-28 de diciembre, 1987. Piro, considerado uno de los mejores bailadores de mambo, afirmaba haberlo enseñado a 90.000 aficionados.

En otoño de 1954, la compañía Tico Records organizó "Mambo USA", una gira por 56 ciudades que llevó el mambo al interior de los Estados Unidos. El contingente de cuarenta instrumentistas incluía a Machito, Miguelito Valdés, Pupi Campo, Joe Loco, Facundo Rivero y otros músicos latinos de renombre. En diciembre de 1954 las tiendas rebosaban de artículos de regalo relacionados con el mambo: muñecas mamboleras, camisones de dormir con motivos de mambo, y un *kit* de mambo (un disco, unas maracas y una larga alfombra de plástico con dibujos de los pasos del baile). Ese mismo mes la Paramount estrenaba la película *Mambo*, con Silvana Mangano en el papel de una bailarina que debía decidirse entre el matrimonio y el mambo (gana el matrimonio). Pocos meses después el propio Pérez Prado, que ya había figurado en varias "cabareteras" mejicanas, realizó su debut en Hollywood en *Underwater!*, una exitosa cinta de la RKO cuya principal atracción, además de la música, era Jane Russell bailando un mambo en trusa.

En diciembre de 1954, Cuba llegaba a todos los confines de Estados Unidos. *I Love Lucy* era el programa más popular de la televisión; Ernest Hemingway acababa de ganar el premio Nobel de literatura por *El viejo y el mar* (1952), una novela sobre un pescador cubano; y el mambo se había convertido en una obsesión nacional. En la entrega de la revista *Downbeat* correspondiente a diciembre de 1954, todos los números en la lista de "mejores grabaciones" eran mambos.

***

No obstante, hasta el *tempo* del mambo *fugit*, y después de 1954 la mambomanía desapareció súbitamente para dejar paso a un nuevo ritmo de origen cubano, el chachachá (si bien en la cinta *Teacher's Pet*, de 1958, Doris Day y Gig Young todavía bailan un modesto mambo). Intentando mantenerse en el candelero, Pérez Prado también cambió su tonada. Conservó los metales con su toque jazzístico, pero empezó a prescindir cada vez más de los instrumentos de percusión cubanos; en 1958, cuando grabó *Patricia*, ya le había añadido un órgano a su orquesta y había cambiado las tumbadoras y los bongós por una batería y unas panderetas. El resultado es lo que algunos llaman, con razón y sorna, "música de caballitos": un ritmo más pueril que incitante, aburrido y monótono. Sin la fibra afrocubana, la música de Pérez

Prado perdió la energía y frescura que la distinguían. Para apreciar la diferencia, basta comparar la versión original de "Qué rico el mambo", de 1949, con la que incluyó en *Big Hits by Prado* (R. C. A. Victor, 1960).[49] En la primera, el arreglo es agresivo, tenso, con trompetas que alcanzan lo que un crítico denominó "alarmantes tonalidades".[50] En la versión posterior, sin embargo, el *tempo* es más lento, las trompetas más suaves, y la percusión afrocubana ha desparecido. En su lugar, el monótono golpeteo de las panderetas y la batería ejerce un control rítmico que le resta soltura a los demás instrumentos. La letra de *Caballo negro*, uno de los primeros mambos de Pérez Prado, decía: "Caballo negro que tienes la cola blanca". El verso constituía una metáfora de la esencial mulatez del mambo.[51] Pero a finales de los años cincuenta, esa cola blanca comenzó a zarandear al caballo negro. A pesar de que en sus inicios el mambo siempre había estado al borde del exceso, el Pérez Prado de estos años parecía empeñado en no pasarse de la raya.

Esta moderación o "domesticación" recuerda la de Desi Arnaz. Al igual que el Arnaz de *The Long, Long Trailer* y *Forever Darling*, Pérez Prado comenzó a perder su acento. Si en *Forever Darling* Desi cambia su tumbadora por una concertina, Pérez Prado –ahora "Prez"– la cambia por un órgano eléctrico y unas panderetas. Ricky Ricardo, que en cierta ocasión había "compuesto" un mambo –el "Nurtz to the Mertz Mambo"– compartía la vivacidad y osadía del rey del mambo. Bullicioso y disonante, alardeaba de bocón, de *mambo mouth*; sabía que el genio era parte de su ingenio. Pero cuando Ricky pasa a ser el Larry Vegas de *Forever Darling*, pierde su agresividad, sus aristas. Algo parecido le sucedió a Pérez Prado; sus primeros mambos hacían gala de una exuberancia juvenil que, al cabo de cincuenta años, todavía resulta encantadora. Al escucharlos, tenemos la sensación de que el compositor se ha excedido, de que su afición por el fraseo inesperado o la disonancia chillona ha llegado demasiado lejos. Tales exabruptos son el equivalente musical de los arranques en español de Ricky. Con el tiempo, sin embargo,

---

[49] La grabación original aparece reeditada en *15 grandes éxitos de Pérez Prado y su orquesta* (RCA International, 1983); la versión de 1960 puede encontrarse en *Mambo Night Fever* (BMG Music, 1989).

[50] Orovio, *Diccionario de la música cubana*, p. 33.

[51] Puede que también fuera una referencia a la cocaína, vulgarmente "caballo".

las estridencias de Pérez Prado fueron disminuyendo y su antigua extravagancia se trocó en respetabilidad. Hasta sus famosos gruñidos se tornaron menos frecuentes. El rey del mambo se convirtió así en una copia de Larry Vegas, insípido e inofensivo.

Aunque Pérez Prado evolucionó hacia un sonido más "suave" a causa de la popularidad del chachachá, el mambo y el chachachá no eran compatibles. Descendiente directo del danzón, el chachachá se mantenía a salvo de influencias "foráneas". Además, a diferencia del mambo, le otorgaba un papel primordial a la letra. De ahí que apenas haya nada más anodino que los *chachas* instrumentales que todavía hoy utilizan academias como Arthur Murray's para enseñar dicho baile. Gran parte del interés que despierta un chachachá se encuentra en sus temas pintorescos: un dentista borracho, un calvo que quiere pelarse, una voluptuosa muchacha que lleva rellenos, marcianos sandungueros. El chachachá es cháchara, conversación, maledicencia; divulga noticias o propaga chismes. El mambo también es conversación, como ya vimos, pero son los instrumentos los que se interpelan entre sí. Nada más lejos de la cháchara del chachachá que los inarticulados gruñidos de Pérez Prado.

El primer chachachá, *La engañadora*, compuesto por Enrique Jorrín en 1948 y grabado en 1951, es una de las piezas más famosas dentro de la música popular cubana. (Jorrín originalmente llamó "mambo-rumba" a su nuevo ritmo.) "La engañadora" cuenta la historia de una "chiquita" que disfruta paseándose por una concurrida esquina de La Habana. La muchacha es el sueño de cualquier hombre, o por lo menos de cualquier hombre latino: "gordita", "bien formadita" y "graciosita" –en resumen, "colosal": "A Prado y Neptuno/ iba una chiquita/ que todos los hombres/ la tenían que mirar./ Estaba gordita,/ muy bien formadita;/ era graciosita;/ en resumen, colosal». Pero las llamativas curvas de esta chiquita son falsas, son *falsies*. Una vez descubierta la impostura, ningún hombre se detiene a mirarla. La moraleja de su historia es que, tarde o temprano, la lisa o llana verdad sale a la luz. La dama "boba" no puede engañar al cubano "vivo": "Pero todo en esta vida se sabe,/ sin siquiera averiguar;/ se ha sabido que en sus formas/ rellenos tan solo hay./ Qué bobas son las mujeres/ que nos tratan de engañar./ ¡Me dijiste!".

Con una larga introducción de ritmo pausado, casi lánguido, *La engañadora* se desenvuelve como una fábula moralizante centrada en la falsedad de las apariencias, en el llamado "engaño de los ojos". Comedido y ejemplarizante, el chachachá es partidario de la disciplina, de la contención. De ahí que las letras estén llenas de figuras de autoridad –policías, doctores, jueces. Al carecer de la libertad de un montuno, con su contrapunteo y sus correspondientes inspiraciones, no favorece la improvisación. Por lo tanto, la muchacha de los rellenos, la que improvisa sus curvas, debe ser desenmascarada y castigada. En el chachachá el pentagrama es cárcel: un-dos-cha-cha-chá, un-dos-cha-cha-chá. Las exuberantes ocurrencias coreográficas de los *mamboniks* no tienen cabida.

En la canción de Jorrín, cuando queda al descubierto el fraude, el coro replica: "¡Me dijiste!" Esta exclamación apunta al impulso básico del género, que es circular información o habladurías. ¿Qué es la letra de *La engañadora* sino un malicioso chisme? Otro famoso chachachá resume su historia con la pregunta, "¿Quién te lo dijo, nené?", cuya respuesta es: "Me lo dijo Adela". Otro conocido chachachá empieza: "Óyeme, mamá". Y otro: "Yo quisiera saber". El énfasis en decir, en contar, en averiguar se opone al laconismo del mambo: logofilia contra logoclasia, comunicación contra expresión, labia contra lascivia. La tendencia del mambo a desarticular hasta el verbo *dicendi*, reduce las oraciones a palabras, las palabras a sílabas, y las sílabas a gruñidos. Si el mambo tiende al apócope –¡uj!– el chachachá tiende a la amplificación. No es sorprendente que no tardara en aparecer un chachachá anti-cháchara, *Tiqui tiqui*, que decía: "Si sigues con el chisme te va a pesar. No quiero tiqui tiqui conmigo".

Una ocurrencia mambística que es pura cháchara: ¿no sería posible adivinar en la "engañadora" de Jorrín al propio mambo? Tal vez no sea casualidad que la dama boba pasea sus falsas curvas por una calle llamada Prado. En términos musicales, la estrategia de contención del chachachá pudiera ser una respuesta directa al desafuero del mambo, que abultaba sus formas musicales con material extraño. Precisamente en 1951, año de la erupción del chachachá, Ortiz describía al mambo utilizando un lenguaje muy parecido al de la canción de Jorrín. Según Ortiz, el mambo era también resultado del "*remplissage* o relleno."[52]

---

[52] Fernando Ortiz: *Los bailes y el teatro de los negros en el folklore de Cuba*, p. 81.

Puesto que el autor de *Contrapunteo cubano* creía firmemente en el beneficio de los mestizajes, no veía nada malo en ello; pero en ciertos sectores sí existía hostilidad hacia el mambo, que a veces se percibía como hijo ilegítimo –natural por artificial– del danzón. Además, Pérez Prado, que había abandonado la isla, había alcanzado mucha más fama que cualquier otro músico cubano. Algunos compositores, entre ellos Eliseo Grenet y Bebo Valdés, idearon lo que se ha denominado "géneros cubanos en respuesta al mambo", como el sucu-sucu (de Grenet) y la batanga (de Valdés).[53] Cuando el chachachá desbancó al mambo, muchos músicos cubanos parecieron lanzar un suspiro de alivio. El propio Benny Moré, que había sido la voz del mambo, dio la bienvenida al nuevo baile proclamando en una canción: "Ya los pollos no bailan mambo, ahora bailan chachachá".

Igual que en Cuba, en los Estados Unidos el chachachá (con asistencia del merengue dominicano) también desplazó al mambo. En marzo de 1954 ya se podía escuchar el toque de difuntos: Herman Díaz, quien había contratado a Pérez Prado para la RCA Víctor cinco años antes, señalaba en la revista *Variety* que prefería el chachachá porque era, "desde el punto de vista musical, menos vulgar que el mambo".[54] Ante tal afirmación, Pérez Prado lanzó un desafío; estaba dispuesto a pagarle 5.000 dólares a cualquiera que demostrara que el chachachá era sustancialmente diferente del mambo.[55] En vano: para principios de 1955 la prensa especializada comenzó a publicar artículos con titulares que iban desde "Al diablo con el mambo» hasta "Y después del mambo, ¿qué?".[56] Tras añadir una sección de violines a su orquesta (haciéndola de ese modo más compatible con la charanga tradicional), Pérez Prado inventó otro baile similar al chachachá, la "culeta", que nunca llegó a ponerse de moda. Posteriormente, creó el "suby", el "pau-

[53] Véase Díaz Ayala: *Música cubana*, pp. 195-196. Existía, además, un impedimento práctico a la difusión del mambo en Cuba, pues el *sonido* de Pérez Prado requería de una gran orquesta, lo que no era factible para muchas agrupaciones de la isla. (Para el chachachá, al contrario, una charanga era más que suficiente.) De ahí que en Cuba el mambo fuera primordialmente fenómeno de victrolas y grandes espectáculos como los del Tropicana, donde actuaban bailarinas profesionales al estilo de Las mulatas de fuego o Las mamboletas.
[54] "New Terps Bet Hot-Cha Cha": en *Variety*, 9 de marzo, 1954.
[55] "Cha-Cha-Cha Old Hat Says Pérez Prado", *Billboard*, 10 de septiembre, 1955.
[56] Sammy Kaye: "To Heck with the Mambo", en *Down Beat*, 20 de abril, 1955; Barry Ulanov: "After the Mambo, What?", en *Metronome*, 71, febrero de 1955, pp. 21-35.

pau" y el "dengue", que tampoco tuvieron mucho éxito. En 1956, el mismísimo rey del mambo sucumbió a la nueva moda en un musical muy pobre titulado *Cha-Cha-Boom* (1956), que algunos críticos estimaron debía haberse llamado "Cha-Cha-Bomba". El reinado del rey del mambo había llegado a su fin.[57]

Últimamente el mambo ha vuelto a ponerse de moda, pero ese renovado interés también pasará. El mambo resulta demasiado estrafalario, demasiado faccioso, demasiado inquieto, como para cautivar la atención de un gran público durante mucho tiempo.[58] Al igual que otras creaciones cubanoamericanas, el mambo es una novedad, y como tal carece de "ámbito propio". Mas, por ello mismo, continúa siendo un modelo de ingenio híbrido y frescura intercultural. Los trompetazos de Pérez Prado traspasan fronteras; sus gruñidos son comprensibles (e incomprensibles) en cualquier idioma. La letra de otro de sus mambos dice, "A la cachi-cachi-porra-porra, a la cachi-cachi-porra-porra". Así es el mambo de zoquete, de bocón. Fragmento que rehúsa la totalidad, fracción que se niega a ser quebrado, el mambo ocupa un lugar señero en la topografía cultural de la Cuba del Norte. La riqueza del mambo, la ricura del mambo, yace en ilustrar cuán fértil pueden ser los mestizajes culturales. Mambo: qué rico é, é, é.

Tomado de Gustavo Pérez Firmat: *Vidas en vilo. La cultura cubanoamericana*, Editorial Hypermedia, Madrid, 2014, pp. 74-98.

---

[57] Pérez Prado continuó grabando en las tres décadas siguientes, produciendo álbumes tan lamentables como *Pérez Prado A-Go-Go* y el seudosicodélico *Pérez Prado está IN-creíble*. Pérez Prado también había probado suerte componiendo piezas más extensas, *Voodoo Suite* (1955), *Concierto para bongó* (1960) y *Exotic Suite of the Americas* (1962). Murió en Ciudad México el 14 de septiembre de 1989.

[58] El mambo perdura, en dosis diluidas, en lo que se denomina "salsa". Al chachachá le fue algo mejor, pues subrepticiamente pasó a alojarse en muchas canciones rock. Después de la Aragón, mi orquesta de chachachá preferida son los Beach Boys; y después de *La engañadora*, mi chachachá predilecto es "Don't Worry Baby".

ANEXOS

El día diez y seis de Julio de mil novecientos diez y ocho: en la Iglesia del Sagrario de la Catedral de San Carlos de la Ciudad, Provincia y Diócesis de Matanzas, yo Pbro. Br. Don Federico Y. Romeu
y Rubio, Cura propio de la Iglesia de San Juan Bautista de Pueblo Nuevo é interino de ésta, certifico: que Fray Felipe del
Niño Jesús, con autorización del Párroco que suscribe, bautizó solemnemente a un niño de la raza de color, que dijeron haber nacido a las dos y media de la madrugada del
día once de Diciembre último: hijo legítimo de Don Pablo Pérez, del comercio, y de Doña Sara Prado, maestra,
naturales y vecinos de ésta Ciudad, y feligreses. Abuelos paternos, Don Pablo Pérez, natural de España. Doña Sofía Pérez, natural de Cabezas, y vecinos de ésta Ciudad. Maternos, Don Florencio Prado, natural de Güines
y Doña Juana Hernández, natural de Limonar y vecinos de ésta Ciudad. Le puso por nombre Dámaso Pablo
de Jesús. Fueron sus padrinos, Don Arturo Cassiera y Doña Juana Hernández, vecinos de ésta Ciudad, a quienes
advertí el parentesco espiritual y obligaciones que contraje-
ron. Este bautizo se verificó en la Iglesia de los
Padres Carmelitas, y no en ésta como se consigna arriba.
Para que conste lo firmo. Enmendado — se vale.

Pbro. Federico Romeu

Acta de bautismo de Dámaso Pérez Prado.

0405850612000056611

República de Cuba
Ministerio de Justicia

CERTIFICACION DE NACIMIENTO

INSCRIPCION
Tomo   Folio
43   69

FECHA DE ASIENTO
Día   Mes   Año
2   9   1919

Registro del Estado Civil de Matanzas
Municipio: Matanzas
Provincia: Matanzas

Nombre(s) y apellidos: Dámaso Pablo de Jesús Pérez Prado.
Lugar de nacimiento: Calle Tello Lamar casa número ciento sesenta y seis, Matanzas.
Fecha de nacimiento: 11 de diciembre de 1917.
Sexo: Masculino.
Nombre(s) y apellidos del padre: Pablo Pérez Gener.
Lugar de nacimiento: Matanzas.
Nombre(s) y apellidos de la madre: Sara Prado Hernández.
Lugar de nacimiento: Matanzas.
Abuelos paternos: Pablo y Sofía.
Abuelos maternos: Florencio y Juana.
Inscripción practicada en virtud: Comparecencia del padre del inscripto.

OBSERVACIONES:

El(La) Registrador(a) del Estado Civil de Registro Provincial de Matanzas, Matanzas
CERTIFICA que los anteriores datos concuerdan fielmente con los que aparecen
consignados en la inscripción a que se hace referencia.
Confrontado por: Nilda Teresa Aportela Garcia
Hecho por: Sorangel Caballero Pérez
IMPUESTO SOBRE DOCUMENTOS SEGÚN LA LEGISLACIÓN VIGENTE AL MOMENTO DE
LA EXPEDICIÓN.

Y a solicitud de parte interesada se expide la presente a los 12 días del mes de octubre
del 2015.

A partir del 15 de julio de 2008 el Registro Provincial de Matanzas expide certificación
en un sistema automatizado.

Sorangel Caballero Pérez
Registrador(a) del Estado Civil

Cetificación de nacimiento de Dámaso Pérez Prado.

Agradecimientos

Este libro es el fruto de la colaboración de muchas personas e instituciones que se unieron en el empeño de rendir homenaje a Dámaso Pérez Prado en su Centenario. En especial queremos agradecer a Graciela Poggoloti, Alfredo Zaldívar, Solángel Caballero, Yanetsis Rodríguez, Sergio Díaz, Urbano Martínez Carmenate, Mireya Cabrera Galán, Daniel Sarracent, Derbys Domínguez, María Isabel Tamayo e Iraida Trujillo, a la revista **Cinegarage**, de México, a la editorial Hypermedia y a todos los que de alguna forma dieron sus luces sobre este tema.

ÍNDICE

Empresa de Artes Gráficas
Federico Engels